KB125814

그 다 이를 말인가

b판시선 60

김병섭 시집

그 다 이를 말인가

도서출판 b

떠난 이는 다녀오지 않고 남은 얼굴들 섬서하게 사는 요즘 환갑이래야 말이 못 되어 손치레 두루거리상 접어놓았지만 손바로 쥐코맞상에 작다란 토막글 올리니 소솜 들러가시라

서산에서 김병섭

| 차 례 |

여름 어리숭어리숭한 마음밭 석쇠 소리 그러묻고

가을 뚜벙 찾아올 마음붙이가 없으니 쓰렁쓰렁한

겨울 골목골목 불이 꺼져 집집이 처깔한 긴긴밤

봄

빈숲 엷붉게 피는 진달래꽃 낯꽃 눈살피다

바야흐로

한여름 늦바탕 기생매미 맞아들여 박타령 눈대목을 들으면
잉아걸이 뽑스린목 저물손 어둠별 뜨도록 영절스럽겠지 싶어
쪽마루 볕받이 앞쪽에 석류나무를 앉혀 놓고 설이 드는 달
언젠가부터 까막길을 질러가든 말든 개똥 보듯 무덤덤했는데
입춘 우수 훵 다녀간 낮뒤 시원섭섭한 맺힘새 끝내 도지는지
느티나무 꼭뒤 삭정이 물고 오르는 까치 벙히 눈바래움하다
죽은 녀석은 뽑아내야지 속다짐하며 수긋이 들여다봤더니
볼깃한 햇잎 어린잎 토끼몰이를 하는 총칼에 엇서 세 손가락
펼쳐 드는 지킴이처럼 와와 통터지는 바야흐로 경칩절이런가

박타령 판소리 '흥부가' 가운데 박타는 모습을 노래한 곳.

눈대목 판소리에서 가장 두드러지거나 재미있는 한 토막.

잉아걸이 판소리에서 소리하는 사람이 박자에 맞추지 않고 박자 사이로 약삭빠르게
　　소리를 엮어 가는 솜씨.

뽑스린목 판소리에서 가락에 맞추어 고르고 판판하게 나가다가 휘어잡아 뽑아 올리는
　　목소리.

저물손 해가 지는 저녁 무렵.

낮뒤 한낮이 지난 뒤부터 저녁까지 동안.

엇서다 수그리지 않고 맞서다.

점심을 먹고 나서

공기갈이를 하려고 드르륵 창문을 밀자 게을러터진 개산은 움쩍달싹하지 않고 수삼나무 까치 둥지 에푸수수 부픈 사품에 목련 곁가지 잔가지 박새 꼬랑지 진망궂게 방아 찧는 점심결 창머리 군자란이 꽃대를 세우고 잎잎이 떠받들어 부채춤을 펼치니 영이돌아 좋구나 쓱 띠어보는데 콧잔등이 시큰하다

장가든 이듬해던가 어머니가 집에서 데리고 와 듬직하니 세 번 네 번 먼집살이를 다니는 동안 물갈이 한번 없었는데 어느 해 여름 잎줄기를 죄 시들어뜨렸다 내다 버릴까 어쩔까 매련대다가 한구석에 밀어 놓고 아프지도 가렵지도 않았건만 질기굳게 넓은잎 나오고 댓 해 지나 그러께부터 꽃을 피운다

꽃부리 꽃봉이 불벼락 치는 불받이 먼먼 노녘 하늘 보이고 댓바람에 뒷불은 일어나는데 소주님의 사랑 신기하고 놀라워 네오내오없이 시룽새룽한 술자리 3번을 찍으려다 찍었더니 졌다고 시르죽은 얼굴들이 달장간 피고 마는 여섯꽃잎 같아 늘핏늘핏 걸어가는 외자욱길 날로달로 눈이 여려 큰일이다

개산 충남 예산군과 서산시에 걸쳐 있는 산.

사품 어떤 움직임이나 일이 되어 가는 바람이나 겨를.

진망궂다 말이나 몸짓 따위가 방정맞고 버릇없다.

영이돌다 집 안 꾸밈새가 밝고 깨끗한 맵시로 가득 차다.

먼집살이 사는 곳을 다른 데로 옮김.

물갈이 사는 곳이 아닌 다른 곳에 가 머물면서 제고장과 다른 물을 먹고 몸에 맞지
　　아니하여 앓음.

매련대다 쉽게 마음먹지 못하고 이리저리 생각하다.

질기굳다 끈기가 있고 꾸준하다.

불받이 나라와 나라가 싸우면서 뜻하지 아니하게 슬픈 일을 겪은 고장이나 사람을
　　빗대어 이르는 말.

뒷불 산불이 꺼진 뒤에 타다 남은 불이 다시 붙어 일어난 불.

네오내오없이 너나 나나 가릴 것 없이 다 마찬가지로.

시룽새룽하다 방정맞게 까불며 자꾸 지껄이다.

달장간 날짜로 거의 한 달 동안.

봄마음

나승개야
민들리야

볕내는 따숩구
고뿔바람 쌀쌀맞구나

뒷등산 앞턱이
맏너물아
옹긋쫑긋 귓부닥 세우들 마라

스산 들러
홍성 들러

닷새 만이 돌어오는
무뚝구리 응감

데뚱듸뚱
한티 가얀다 지잖는 봄이잖니

나승개 냉이.

민들리 민들레.

뻘내 뻘이 풍기는 냄새라는 뜻으로, '뻘기'를 달리 이르는 말.

맏너물 그 해에 맨 먼저 나온 나물.

스산 여기서는 충남 서산에 있는 장례식장을 말함.

무뚝구리 말이나 몸짓 따위가 부드럽고 살가운 맛이 없는 사람.

한티 같이.

지잖다 서 있던 자리에 그대로 힘없이 앉다.

얻은 도끼나 잃은 도끼나

개불알풀은 길녘에서 살다 보니 툭하면 밟히고 쥐어뜯기는
흔하디흔한 들풀인데 봄새 피우는 꽃이 생김생김 개 불알을
똑 떼닮았다고 오가던 분내들이 개불알이라 이름을 붙였겠지
개불알 개불알 쪼끔 이지렁스러우나 뭐 어때서 바꾸려 할까
열 모로 뜯어봐도 봄까치는 까치를 먹고 닮은 구석이 없더만

풀이든 나무든 눈 가는 대로 생긴 대로 내림내림 불렀는데
말하기 무엇하다 가르치기 낯 뜨겁다 끙짜놓으며 아옹거리면
소경불알 개쉽싸리 며느리밑씻개 죄 거북살스럽다 바꾼다면
중대가리풀 며느리배꼽은 살근살짝 알섬으로 기러기 부르고
거니챈 봄 꿩이 꿩꿩 울다가 뻐꾹 딸꾹질하지 않을까 나 원

살 곳을 바꾸면 얼굴이 바뀌나 언제나없이 길게 누울 자리
봐 드렸건만 코 푸는 사람 따로 있고 마루 위에 마루 놓기지
멀쩡한 옛집을 놔두고 다섯 해 살았으니 새로 지어 든다느니
다섯 해 살 집이니 옮기셔야 좋다느니 쏘개질해 아왜나무를
예예나무로 갈아들이겠다 곤댓짓하지 않을까 씨불알 씨불알

분내 분네.

끙짜놓다 어떤 것을 못마땅하게 생각하다.

아옹거리다 좁은 생각으로 제 뜻에 맞지 아니한다고 투덜거리다.

알섬 사람이 살지 않는 자그마한 섬.

기러기 부르다 잡히지 않으려고 멀리 달아나거나 숨다.

거니채다 일의 형편을 어림잡아 눈치를 채다.

쏘개질하다 있는 일 없는 일을 얽어서 가만히 일러바치다.

곤댓짓하다 뽐내어 우쭐거리며 고개를 흔드는 짓을 하다.

내절로 네절로

어느 시인이
쑥부쟁이와 구절초를 가려볼 줄 몰라서
내절로 무식한 놈이라고 썼다지

그 다 이를 말인가
산수유꽃은 산수유나무에서 노롱노롱 솟치듯 피고
생강나무에는 생강꽃이 피었거늘

산수유든 생강이든
이마에 와닿은 춘분 눈에 띄는 꽃이라
이야지야 다따가 콩팥칠팥한다만

봄꽃도 한때
사람은 열 번 (다시) 된다는 말 있으니

꽃 지듯 잎이 지면
알은체할 먼붙이 없는 겨울나무
남의나이 먹고 네절로 헝그레성그레 올려다볼는지

네절로 네 스스로.

이야지야 이러하다느니 저러하다느니 말을 늘어놓는 모습.

다따가 난데없이 갑자기.

콩팥칠팔하다 하찮은 일을 가지고 트집을 잡아 옳고 그름을 말다툼하듯 캐묻고 따지다.

헝그레성그레 마음이 너그럽고 넉넉해지면서 거짓으로 꾸미지 않고 눈과 입을 움직이며
   소리 없이 부드럽게 웃는 모습.

헛나이

올빼미새벽 늘 그랬듯이
책상 앞에 앉아 간밤엔 좋았는데
혼잣말하며 꼬이고 거친 글줄 바로잡는다

가까스로 다 끝낸 글 윙 뽑아
산에 가자고 나선 옆지기 불러 세우고
한번 읽어 봐봐 잘 썼지
아이같이 부스댄다 되레 보챈다

홋홋한 지장고개 폭신푹신한 솔가릿길
포롱포롱 뱁새 날아가자
빈숲 엷붉게 피는 진달래꽃 낮꽃
눈살피다 이내 딴생각을 한다
헝그레성그레 건너다볼는지 올려다볼는지

『글 속에 글』 따라 번지는 예순
불 끄고 눈 감기 무섭게
어둑서니 커 가듯 낱말밭 꿈틀거린다

올빼미새벽 동트지 아니한 어둑어둑한 새벽을 이르는 말.

홋홋하다 딸린 사람이 적어서 매우 홀가분하다.

지장고개 충남 서산시 부춘산에 있는 고개.

낯꽃 얼굴에 드러나는 느낌이나 마음.

『글 속에 글』 글쓴이가 갈무리한 우리말사전.

어둑서니 커 가듯 어떤 것이 잠깐 사이에 눈을 믿지 못하리만큼 커 보이는 형편을 빗대어 이르는 말.

이 사람하고 사는 저 사람으로 말하자면

집에 들어오면 옷부터 갈아입지 않고 밥부터 차려 먹는다
앞 사람이 반쯤 먹었을 때 운동하러 갔다 오겠다며 일어서는
저 사람으로 말하자면 빈 의자 품안고 온해 둥구나무 바라는
이 사람하고 사는지라 큰애 작은애 낳고 한숨을 들이다 말고
선발 알것에 땀이 나도록 총총걸음 친다 사람들은 우리 보고
안팎으로 잘 어울리네 부럽네 하나 천만의 말씀 만만의 콩떡
지난해 봄에는 맑은 하늘 돋보며 애쑥 민들레 별꽃 아까시꽃
개망초 오디 찔레순 칡순 뜯고 따고 꺾고 덖어 차를 만들고
빵을 굽고 두부를 앗고 감주를 삭히고 고추장 된장 담그더니
올해는 아시저녁에 『土地』를 베껴 쓰는데 (되팔지 못해 살살
배 아프지 않고) 손이 아플 때 한국기행을 보자며 건너온다
고미숙 최재천 유시민 조홍근은 덤더디 올빼미 You 선생님
돌아누우면 새벽녘 얄궂은 가내수공업은 새무죽이 내맡기고
출발 FM과 함께 밥 짓는 소리 도맛소리 어깨 너머 등 너머
여기 사과 깎아 놨어 점심은 냉잇국이 남았으니 데워 먹어요
막 집을 나서려다 귤나무 앞자리 쪼로니 앉힌 장건건이 단지
울 애기들 잘 있나 보고 가야지 돌아서며 보살피는 마음자리
콧잔등이 환한 목련 봉오리 봉오리 사부랑삽작 올라앉는다

24

선발 집 안에서 아침부터 저녁까지 일하느라고 서서 돌아다니는 발.

알젓 양말이 해져서 밖으로 비어져 나온 발가락을 낮고 점잖지 못하게 이르는 말.

아시저녁 날이 어두워지고 얼마 되지 않은 때.

덛더디 한결같이.

You 여기서는 'YouTube'를 말함.

가내수공업 여기서는 손으로 몸을 두드리거나 주물러서 피가 잘 돌게 도와주는 일을 말함.

장건건이 간장, 고추장, 된장 따위를 통틀어 이르는 말.

말 속에 말

별옴둑가지소리로 헤살부리다 우집어 괘장 부치는 짓짓이
눈꼴틀려 못 보겠다 부르대지 마시고 꼭 저를 찍으라는 말은
벚꽃 피는 봄날 부산 사람들이 뭐꼬 그 나물에 그 밥 아이가
깨죽깨죽하든 서울 사람사람이 뻔하지 그 식이 장식이잖아
앵돌아서든 앉든 뻐꾸기 제 이름 부르듯 제노라 하는 밭마당
돌반지기 받잡고 하느님 자리걷이하는 날까지 뉘를 고르라는
먼뎃말 아니면 무장무장 귀에 거친 까마귀소리 외상없으렷다

별옴둑가지소리 여느 것과 다른 갖가지 야릇한 소리.

우집다 남을 업신여기다.

괘장 부치다 옳거나 좋다고 생각하여 뜻을 같이하다가 갑작스럽게 맞서며 일을 안
  되게 하다.

부르대다 남을 나무라듯이 거친 말로 떠들썩하게 떠들어대다.

께죽께죽하다 못마땅하게 여기는 데가 있어 자꾸 중얼거리다.

돌반지기 제대로 까부르지 못하여 모래가 많이 섞인 쌀.

먼뎃말 멀리 돌려서 하는 말.

무장무장 갈수록 더 많이.

까마귀소리 들어서 쓸모가 없고 미덥지 못하며 터무니없는 헛된 소리를 빗대어 이르는
  말.

27

뱃가죽은 알고 있다

서광사 동백이 겹벚꽃을 만나 방싯빵싯 웃는 한봄

햇그늘에 비둘기 한 쌍 종종종 조악거리는

깔딱고개 명지바람 지고 올라채며

얼굴을 반나마 덮여도 상푸등 콧구멍이 둘이니 숨을 쉬지

큰딸 여읜 민머리 흰민들레 멈짓대는 낮결

호박벌 잉잉잉거리는 맨발길 곱이곱이 한눈팔며 엎숙이다

신발은 들고 졸랑촐랑 홀랑 양말은 흘리는

이쁘둥이 뒤쫓아가다 잔돌을 밟고

별진 잘숙 발바닥이 얇아빠져 판판이 죽을 맛인가

서광사   충남 서산시 부춘산에 있는 절.

조악거리다   고개를 앞뒤로 깜찍하게 까딱거리다.

깔딱고개   부춘산 전망대에서 봉화산 쪽으로 가는 비탈진 언덕.

명지바람   보드랍고 따뜻한 바람.

상푸등   '내 그럴 줄 이미 알았다'라는 뜻으로 하는 말.

낮결   한낮부터 해가 저물 동안을 둘로 나누었을 때 그 앞쪽.

별진 잘숙   한쪽 다리를 뒤뚝뒤뚝 저는 모습을 놀리는 말.

철쭉 피구 감잎새 피면

　어제는 마당 옆댕이 풀매구 줄은 돌려놓구 그러머 보냈지
가는귀먹어서 누가 온대두 아녀 이우지 마실 올 사람두 읎어
이전이야 철쭉 피구 감잎새 피면 뒷개루다 주낫 노러 대녔지
데미가 옹지게 잽히거든 물질허는 젙이서 물 보구 잇갑 께구
그러군 너물 뜯으러 대녔어 빛들 앞 골망이 고사리순 꺾으러
도랑도랑 동무혜서 올러가면 상화 그 오메는 눈이 워냥 밝어
장꿘 허면 한 바구리 수둑혀 성수두 그역시러웠넌디 죽었어
딴 할메덜은 죽은 지 오라구 요샌 못자리두 하나 일같잖더면
우리는 볩씨를 열 말쓱 당겄어 모찔라면 허릿도막 끊어지구
워니 핸 근쎄 왕판 먹었네 불가물이 못자리서 이삭이 나오녀
벼다 훑어서 찧어 먹구 살었다니께 봄판이 놀러 간대야 바듯
옥녀봉 갔지 넘덜은 덕산 간다구 허니 따러가구 싶어 골내구
가지 말라니께 싸우구 날이면 날마두 일꾼덜 은어 일허느라
찔찔맸어 반찬이 있나 뭐가 있나 그러다가 아버지가 죽으니
말허면 뭐더 숙상헌 일 있으면 보구 싶구 웃을 일이 생겨두
보구 싶구 올히루 서른니 해 났나 잘못헌 일만 자꾸 생각나
워쩌다가 꿈이 뵈넌디 저마직 섰어 시컷 울을라구 쫓어가면
아랫무이 닿더락 막 쏟어지던 눈물이 딱 끊쳐 워쩐 일루다

줄 부추.

뒷개 충남 서산시 부석면 마룡리 안쪽에 있는 바다.

주낫 물고기를 잡는 연장 가운데 하나. 긴 낚싯줄에 낚시를 여러 개 달아 물속에
    늘어뜨려 고기를 잡는다.

데미 도미.

옹지다 모자람이 없을 만큼 알차고 흐뭇하다.

잇갑 낚시 끝에 꿰는 물고기 먹이.

도랑도랑 여럿이 나직한 목소리로 정답게 이야기하는 소리.

장꿘 얼마 되지 않는 매우 짧은 동안.

성수 형의 아내.

그역시럽다 부지런하고 억척스러운 데가 있다.

왕판 볍씨를 뿌려 모를 기르는 자리.

봄판 봄철의 날.

옥녀봉 충남 서산시에 있는 부춘산 봉우리.

덕산 여기서는 덕산에 있는 온천을 말함.

아버지 여기서는 남편을 말함.

아랫무이 여기서는 남편 무덤을 말함.

31

봄밤

오른쪽으로 누워 자려면
위팔이 뻐근하다
쉬이 문힐 머리공 웃듬도이 애면글면하는지

왼쪽으로 다시 누우면
가슴이 답답하다
몇 조금 못 가 고상고상 뒤쳐눕는다

똑바로 누워야 좋겠는데
등짝이 마치고 밤돌이로 어딘가 모르게 휘영하니
자다 말고 쥐 오를까 걱정된다

업더누워 코를 분 적이 왜 없겠는가
베갯잇에 느침 흘리고
아침내 목이 뻣뻣하여 고개를 돌리기 빌어먹었던

온밤 퐁당 빠져들고 싶은 봄잠
소쩍다 소쩍다 잠재운 갈구렁그믐달이 붉다

위팔 어깨에서 팔꿈치까지를 이르는 말.

웃듬도이 으뜸이 되게.

애면글면하다 힘에 겨운 일을 이루려고 갖은 애를 쓰다.

고상고상 잠이 오지 아니하여 뒤척거리며 애를 쓰는 모습.

밤돌이로 밤마다.

느침 잘 끊어지지 아니하고 길게 흘러내리는 침.

갈구렁그믐달 갈고리처럼 몹시 이지러진 그믐달.

붉다 부럽다.

찔레꽃가뭄

　뒤보름 다 지나도록 군글을 아퀴 짓지 못해 끙끙대다 그만
짓속이 달쳐 물 마시러 갔더니 그냥 들어가지 말고 저것 좀
씻으라고 한다 치아바타를 만들고 싶어 바지로이 조몰락대며
턱짓하는 불룩한 봉지를 끄르자 포갬포갬 갬상추가 엔간찮다
한잎 한잎 다 씻고 목고개를 싸쥐며 휩쓸린 어찌씨가 아쉬워
웅얼꿍얼 어치렁거리다가 들여디딘 발 뒤쓰레질까지 싹 해야
끝나겠지 겉잡으며 배불뚝이 봉지를 들고 선걸음으로 나선다
투입구가 닫힙니다 배출하신 양은 영 점 구 킬로그램입니다
햇귀만큼 산뜻하게 입을 닫는 소리 시들먹한 영산홍 이파리
아랑곳없이 울타리 덩굴장미 뿌리막가지 흰 찔레꽃 피어나듯
올라오자마자 손을 씻고 나오니 한 번 더 갔다 오라고 한다
밀반죽하다 말고 뭘 했기에 고새 쓰레기가 생기나 골난 채
신턱을 넘어갔다 넘어오는데 들이단짝 묻는다 아침내 씻더니
어디다 놨냐고 설마 생각 없이 내다 버렸냐고 반히 웃는다

짓속　일을 하며 겉으로 드러나지 아니하는 속마음.

치아바타　밀가루에 이스트, 소금, 물을 넣고 반죽하여 납작하고 길쭉한 꼴로 만든 이탈리아 빵.

바지로이　솜씨 좋게.

갬상추　잎이 다 자라서 쌈을 싸 먹을 수 있을 만큼 큰 상추.

어치렁거리다　힘없이 몸을 조금 혼들며 천천히 걷다.

선걸음　이미 내디뎌 걷고 있는 걸음.

햇귀　해가 솟아오르며 네 둘레로 뻗치는 빛줄기.

뿌리막가지　뿌리에서부터 자라난 가지.

신턱　집으로 들어와 신발을 벗어 놓은 다음 바로 올라서는 조금 높은 바닥.

들이단짝　그 자리에서 곧.

누구 마음대로

어린 시절 꿈은 딱 하나였어
우리나라를 이끌어 갈 대통령장군 되겠습니다 하지 못하고
선생님들 계신다는 학교는 백꼬산 너머라
돈낟가리 쟁이는 꿈 듣도 보도 못하는 산듸에서
애오라지 바라느니 모쟁이뿐
살물결 디밀리는 민들레 씨송잇길 오가며
모꾼들 엉덩이 알종아리 바짝 못단을 던져 주는 사람
솔바람 새새 짯짯이 눈여겨봤거든
시원스레 물탕치던 고논 소웃음 멋들어졌다니까
인제 생각하면 모심는 날은 꽂긔 먹는 날
애들은 집터서리 빙빙 에돌다
한마당 짓까불다 시들픈 한겻 논틀길 쪼르르 내달았지
물꼬받이 손더듬이 시시덕히히덕 곤두박여 봤자
아리랑 통성냥은 부뚜막 솥전 뒤에 있고
무엇보다 믿음직한 냇둑이 있잖아
까짓 윗도리 불 쬐면 땡인데
즘신 먹자 부르는 소리 도리깨침 넘어가는 소리
우렁은 주먹만큼 크고 우리는 주먹만큼 작았으니 어쩌겠어

백꼬산 충남 태안군 태안읍에 있는 산.

산듸 충남 태안군 태안읍 산후리.

모쟁이 모를 낼 때에 모춤을 여러 몫으로 나눠 돌리는 사람.

살물결 얕은 물 위에서 산들바람에 가볍게 일어나는 물결.

고논 바닥이 깊고 물길이 좋으며 기름진 논.

소웃음 사람 좋게 웃는 웃음.

꽃긔 꽃게.

시들프다 마음에 마뜩잖고 시들하다.

물꼬받이 물꼬를 넘는 물에 팬 웅덩이.

손더듬이 무엇을 찾으려고 손으로 더듬는 일.

솥전 솥 몸의 바깥 중턱에 납작하게 둘러 댄 전.

도리깨침 도리깨가 꼬부라져 넘어가는 꼴로 침이 넘어간다는 뜻으로, 너무 먹고 싶거나
　　차지하고 싶은 마음에 저절로 삼켜지는 침을 이르는 말.

봄 오름길

옴살 짝지 앞서거니 뒤서거니 봄내 찾아 오른 길은 진달래
민들렛길 어쩌다가 사람을 만나면 할랑헐렁 빗서는 둥굴렛길
지나 마르나 큰절 아이절 넙놀던 골짜기 가밋거밋한 징검돌
가재 알 서부렁섭적 건너뛰고 찔레순 칡순 똑똑 꺾어 건네며
멍석딸기 개복숭아 더덕 깜냥깜냥 찜해 놓은 윗길 올라가든
내려가든 땀을 들이는 그늘터 납작마루 후딱 벗고 홀딱 벗고
한소끔 쉬어 가시라 꾀꾀로 등 떠미는 봄 오붓한 뻐꾸깃길

옴살   매우 가까운 사이.

할랑헐렁   숨을 몹시 가쁘고 거칠게 쉬는 모습.

큰절   여기서는 충남 서산시 부석면에 있는 '부석사'를 말함.

서부렁섭적   힘들이지 아니하고 거볍게 선뜻 건너뛰는 모습.

깜냥깜냥   제 힘을 다하여.

꾀꾀로   가끔씩 틈을 타서 남몰래 넌지시.

여름

어리숭어리숭한 마음밭 석쇠 소리 그러묻고

그러거나 말거나

보리때 눈앞 고스러지는 아까시꽃 말끄럼물끄럼 건너보다
검불깃한 벚 알알이 외여디디며 도서관에 갔더니
문어귀 내앉은 이미정이 부루퉁히 맞더면
이름 먼저 적고 생년월일 적고 전화번호를 적다 말고

신랑이 따로난다 낯꼴이 왜 그려
집은 내가 나가게 생겼네
잘 지냈으면서 뭘
흐응 요새는 여기저기 할 것 없이 아무튼
수틀리걸랑 뒷산 가 바락빠락
누가 아니래 속 시원히
뻐꾸기새끼야 깜깜나라 뱁새들아

누르락붉으락 찡등그려 토하듯 짓시늉하는데
열화상 저것이 얼씨구 섰다 섰다 받치나 37.4라고 부라려
어찌긴 남이 볼세라 엉큼성큼 뒷걸음쳐 들어갔지
이히히 언제 철난대 따라붙는 웃음엣소리
그러거나 말거나 까딱하면 용코로 걸려들 뻔했다니께

보리때 보리가 익어서 거둘 만하게 된 때.
외여디디다 자리를 비켜 디디거나 다른 쪽으로 옮겨 디디다.
낯꼴 느낌에 따라 달라지는 얼굴 모습.
수틀리다 마음에 들지 않다.
깜깜나라 깜깜하게 아주 모르는 형편.
찡등그리다 마음에 못마땅하여 얼굴을 몹시 찡그리다.
열화상 여기서는 '열화상 카메라'를 말함.
받치다 몹시 못마땅하거나 언짢은 마음이 갑자기 세게 일어나다.
웃음엣소리 웃기느라고 하는 말.

장

아흐레 낮밤 집 비운 할머니를 굴뚝같이 목이 빠지게 기다려
아슬랑거리는 길고양이 잔허리 머윗잎 그늘 하품꼬리 언저리
알뚝배기 밥그릇에 쏙소그레한 감또개 몇 온새미로 돌려놓고
청개구리 발잔등이 마를세라 하늘이 새더니 열구름 남실바람
이마빼기 코쭝배기 내보이지 않는 아침나절 올감자 외딴치게
깊숙하니 자리 잡은 육쪽마늘 채신머리없이 헤벌떡한 벌마늘
흙투성이 썩은 냄새 툭툭 털며 하나하나 간종그리는 살림네
두 손 두 발 곧추들고 도도리치게 만드는 용지렁이 밤느정이
구욱국구국 눌러보는 짚은개 멧비둘기 가뭇없는 허리숨 낮참
짭조름한 입시울에 옴시레기 배어나는 방우쇠 같은 젊은 날
저만치 앞서간 아버지 워디 하루이 끝날 일이간 하시던 말씀
댓 발짝 남았는데 시작이 반이 아니라 장 반은 빈자리구나

잔허리 잘록 들어간 허리의 뒤쪽.

쏙소그레하다 작은 여러 개의 것이 크기가 거의 고르다.

감또개 꽃과 함께 떨어진 어린 감.

온새미 가르거나 쪼개지 아니한 생긴 그대로.

외딴치다 쉽게 앞지르다.

벌마늘 첫겨울에 싹이 나고 첫여름에 거두어들이는 마늘이 봄에 다시 한번 싹이 나서
    제대로 영글지 못하게 된 마늘.

간종그리다 흐트러진 것을 가리고 골라서 가지런하게 하다.

도도리치다 소스라치다.

용지렁이 큰 지렁이.

밤느정이 밤나무의 꽃.

짚은개 충남 서산시 부석면 마룡리 4반.

방우쇠 조새 손잡이 위쪽에 박힌 쇠갈고리.

말뜸 스승이 제자를 이끌려고 말로 내어 보이는 물음.

한살이 꿈

한 달 서른 날 노박이로 먹고 싸고 자고 먹고 싸고
해거름 우무적우무적 섶에 올라
씨줄 날줄 어긋매끼며 올곧이 터다지는데
한 올 한 올 돌려 감아 첫여름 밤 길동그라니 아우르는데

고치장마 누지근한 사랑방 한방
우슬우슬 한밥때 누에들
잎뽕 광주리 광주리 냇물 건너 여 나르던 논두렁길
까무촉촉한 오디 한 줌 쥐어 주던 마당길

보꾹 책시렁 물두멍 다듬잇돌 물두멍 책시렁 보꾹 책시렁
밤도와 턱짓하면 우잣길 하야니 감싸일까
옹그린 채 들여다보며 내다보며
날개돋이 한살이 꿈 곰바지런히 번데기옷 공그른다

노박이로 줄곧 한곳에서 한 가지만 이어서.

우무적우무적 큰 벌레가 좀스럽고 굼뜨게 자꾸 움직이는 모습.

어긋매끼다 한쪽으로 치우치지 아니하도록 서로 어긋나게 맞추다.

고치장마 첫여름에 치는 누에가 섶에 오를 무렵에 오는 장맛비.

한방 방 가득.

한밥때 누에가 몸에서 반짝거리는 빛이 나고 살이 찌며, 뽕잎을 가장 많이 먹을 때.

보꾹 지붕 안쪽. 더그매에서 바라본 천장을 이른다.

물두멍 물을 길어 붓고 쓰는 큰 독.

밤도와 밤을 새워서.

번데기옷 번데기를 싸고 있는 고치의 속 켜.

십 원짜리

    그나저나 어찌 지내셨대 통 안 뵌던데 누웨 치머 살었지 얼마큼 키웠길래 *그끄적긔* 꼬치 졌어 그게 아니고 얼마만큼 어 이마큼 허구 두 마리 더 애고개 고까짓 거 얻다 쓸라고 개미누웨 나오걸랑 노나줄라구 남들이 좋아한댜 요즘 세상에 그레기 십 원짜리 서너 개쓱 아름차게 얹어 주야나 말으야나 하 따분하신가 웽걸 달근달근허던디 멕여 볼라남 으말무지루

꼬치 누에가 번데기로 바뀔 때 실을 토하여 제 몸을 둘러싸서 만든 둥글고 길쭉한 꼴의 집.

개미누웨 알에서 갓 깨어난 누에.

아름차다 어떤 일을 한 뒤에 끝이 몹시 좋아서 자랑스러움과 스스로 떳떳하게 여길 만큼 모자람이 없고 넉넉하다.

달근달근하다 재미가 있고 마음에 들다.

으말무지루 무엇이 잘 이루어지기를 꼭 바라지 아니하고 헛일하는 셈 치고 해 보는 모습.

풍년비 오는 날

하지 지나 열흘 구름장마다 풍년비 오는 날 비받이 받치고 절벅철벅 선영이네 갑니다 선영이네는 손님들이 찾아오기 좋을 만한 큰길가 안침에 쏙 자리를 잡은 조촐한 밥집인데요

잉 어서 와 나야 믠허가 읎으니 기사 노릇을 더러 허지면 워디다가 떼놓구 왔나 혼자 늦게 나타난 동서를 반기는 형님 곁에 듬직하니 앉은 손위 작은처남이 뛰고 싶으면 다리 먹고 날고 싶거들랑 날개 드시라며 듬뿍 떠 주는 닭볶음탕을 덥석 받아 놓았는데 만보걷기친목회를 만들려는데 막내 고모부는 잘 먹어도 날씬하니까 회장 맡으세요 이니 좀 관리해 주세요 저니는 참외를 껍질째 자시래두 전이 우리 집이가 참이 따먼 집뎅이만큼 쌓아 놨다니께 배다리루 고깃배 들오먼 밴댕이를 한 자루씩 들구 와선 바꿔 갔다니께 뒷개 거기서 주낙 놔서 아버지라 도미 소라 말허먼 뭐뎌 참 틀어막지 않었으먼 휭

짜드라웃는 뭇소리 빗소리 귀넘어듣다가 시삐 한 손 접은 날갯죽지를 들추며 쌀비 그치고 소서께 들판이 얼룩소 되면 뜸 뜸 팟다리 깊드리 울려오려나 입꼬리가 잔즐잔즐하는데요

비받이 '우산'을 달리 이르는 말.

참이 참외.

배다리 서산시 죽성동 서쪽과 양대동 동쪽이 맞닿은 어름.

짜드라웃다 여럿이 한꺼번에 떠들썩하게 웃다.

시삐 별로 대수롭지 않은 듯하게.

쌀비 꼭 와야 할 때에 알맞게 내리는 비.

팟다리 뜸부기.

깊드리 바닥이 깊은 논.

잔즐잔즐하다 입가에 웃음이 잇따라 살짝 떠오르다.

때문인지 덕분인지

이른 저녁 먹고 둘이 길 건너 노릇마당에 갔거든
적으라는 대로 적고 두말없이 올라갔는데
구경표를 보자는 문지기가 없고 그예 납시는 튀밥이 없어
덩덩그러니 둘뿐인데 불이 꺼지네

반달곰 제 가슴 치다 웅담 빠지는 소리에 웃다가
갈까부다 갈까부다 님 따라서 갈까부다 코를 쥐고 울다가
비렁뱅이 글알 한 마리 잔치판 뒤엎을 제
참눈 뜬 청이 집으로 오는 길허리

불이 켜지고 끔먹끔먹 엉거주춤 뒤돌아 나왔더니
소리꾼 때문인지 돌림병 덕분인지
구경속 좋은 열사흘 다님 비긋이 도두앉아
재깔재깔하는 청개구리네 개망초 울안 어제런 듯 환하더만

노롯마당 '극장'을 예스럽게 이르는 말.

반달곰 제 가슴 치다 웅담 빠지는 소리 영화 〈소리꾼〉에서 나오는 말을 끌어다 씀.

갈까부다 갈까부다 님 따라서 갈까부다 영화 〈소리꾼〉에서 나오는 소리를 끌어다
   씀.

글알 '시'를 달리 이르는 말.

마리 글알을 세는 하나치.

구경속 구경하는 것을 즐기는 마음.

다님 '달님'을 멋스럽게 이르는 말.

아뢰옵기 황송하오나

아비를 찾아달라 호소하는 여식이 있어 아뢰옵니다
어인 아비기에 자식이 그리 노심초사하느냐
다름이 아니오라 한성부 판윤 대감이온데 연유가 괴이쩍어
어험 포장은 찾는 자에게 후상하겠노라 널리 전하라
성은이 망극하옵니다
전하 판윤 대감을 찾았사오나 브듸 통촉하여 주시옵소서
통촉이라니 감축할 일이 아니던가
송구하옵기 이를 데 없어 급추했으나 원서한 후였고
뭣이라 어듸서 감히 형판은 소상히 이르시오
전일 유시부터 포졸 칠백을 풀어 성안을 줄뒤짐했사온데
못 찾고서 갈래던 차
발종한 산영개가 찾았으니 죽어지만이옵니다
과인의 부덕인즉 만조백관은 흉서 앞에 예를 다하라
아뢰옵기 황송하오나 대감이 브리던 아랫것 가운데 하나가
고변한 내용인즉 수통한데 삼심한지라 푸지위하셔야
아소라 이 일을 어이하면 좋을꼬
소신 궁심하기를 밧삼지 못할 사단은 발본하여 누란지위를
영상은 엇디 생각하시오 병판이 과연 옳다 여기시오

후상하다 두둑하게 상을 주다.

급추하다 매우 빠르게 뒤쫓다.

원서하다 먼 곳으로 떠나 돌아오지 아니한다는 뜻으로, 사람이 죽음을 모나지 않고
　부드럽게 이르는 말.

발종하다 매어 놓았던 사냥개를 풀어놓다.

산영개 사냥개.

죽어지만 죽기가 늦었음을 한숨을 쉬며 슬퍼하는 말.

홍서 왕이나 왕족, 귀족의 죽음을 높여 이르는 말.

수통하다 일이 나쁘거나 궂다.

삼심하다 흘러나오다.

푸지위하다 윗사람이 아랫사람에게 하라고 한 일을 거두어들이고 그만두게 하다.

아소라 아쉬울 때 한숨을 쉬며 하는 말.

궁심하다 이리저리 마음을 써 걱정하다.

밧삼다 대수롭지 않게 여겨 끼어들지 아니하거나 가볍게 여기다.

아니오니다 전하 판윤이 만손 불충불의하게 자진했다 하나
물경 십 년간 한성부를 구안히 관령하는 성은을 입었으며
그를 따르는 유생이 수백수천이라 하니
이에 후장하여 관대히 선정을 베풂이 지당하지오닛가
아니 되오니다 전하 판윤 대감이 종명하여 사상했다 하나
여드레 병풍 쳤다 수군대는 준준무지한 백성이 부지기수고
간고대 돌림통 쪽박굿을 벌이는 판이니
정묵히 허토하여 장송함이 극히 온당타 사료되오니다
어허 예판은 정녕 성총을 흐리겠단 말씀이구려
양민들이 결식한다는 바깥소문 못 들으셨소이까 대감
그만들 하시오 그만 대신들이 종묘사직을 보전하고자 하는
그 충정 모르는 바 아니나 오십소백이라 항차 선위를
송구스럽나이다 전하
전하 천만세 숙배 받는 태상왕 되소서
통촉하여 주시옵소서 아니 되옵니다 전하 전하

일어나 내일모레 기말고사라며 몇 신데 벌써 자 고딩 맞아
어이그 국사책에 침이나 흘리고 계집애가 칠칠맞지 못하게

만손 아무리 그러하더라도.

물경 '놀라지 마라' 또는 '놀랍게도'의 뜻으로, 엄청난 것을 말할 때에 미리 내세우는
　　말.

구안히 오래도록 걱정없이.

후장하다 크고 훌륭하게 장례를 지내다.

종명하다 목숨을 다하다.

사상하다 낱낱 사람과 얽혀 있는 빚을 갚다.

준준무지하다 굼뜨고 어리석어 아무것도 아는 것이 없다.

간고대 가는 곳마다.

돌림통 돌림병이 돌아다니는 때. 또는 그 병.

쪽박굿 돌림병이 돌 때 집집마다 마루나 흙마루에 쪽박을 문질러 그 시끄러운 소리에
　　돌림병이 놀라 달아나라고 하는 굿.

허토하다 장사를 지낼 때에 흙을 둥글게 쌓아 올려서 무덤을 만들기에 앞서 상제들이
　　흙 한 줌을 널 위에 뿌리다.

장송하다 죽은 이를 장사 지내어 보내다.

오십소백 오십 걸음 달아난 사람이 백 걸음 달아난 사람을 보고 겁쟁이라고 비웃는다는
　　데서 나온 말로, 조금 낫고 못하기는 하나 처음부터 가지고 있는 모습은 그다지
　　다르지 않다는 말.

첫닭울이

모처럼 막내딸네 안방을 차지한 가시어머닌 무어라 무어라
왜정 시절 잠꼬대하고 작은방으로 든 큰딸은 윗집에서 붕붕
소리가 자꾸 들려요 옹잘거리며 이불 베개 싸안고 나온 한밤
비슬비슬 일어나 시계 보고 오줌 누고 물 한 모금 들이켜고
앞쪽 창문을 닫는다 소서 턱밑 얼마큼 장만하느라 이러는지
땀이 밴 거실 바닥 이저리 뒤척뒤척 궁싯대다 개똥장마 따위
올 테면 오라지 큰어금니 내리다물고 웅웅웅 되울리는 소리
듣다 듣다 옆집 재민이네는 찬바람틀 없이 열몇 해 여름밤을
어찌 났을까 누구만치 왼고개 틀고 옴니암니 혼자씨름하다가
어리숭어리숭한 마음밭 석쇠 소리 그러묻고 여원잠 재울까

첫닭울이 첫닭이 울 무렵.

가시어머니 아내의 어머니.

궁싯대다 잠이 오지 아니하여 몸을 이리저리 뒤척거리다.

개똥장마 거름이 되는 개똥처럼 좋은 장마라는 뜻으로, 오뉴월 장마를 이르는 말.

찬바람틀 '에어컨'을 달리 이르는 말.

옴니암니 자질구레한 것들까지 다 헤아려 따지는 모습.

혼자씨름하다 어떤 일을 마음속으로 따져 보고 재어 보면서도 쉽게 마음먹지 못하고 애만 쓰다.

어리숭어리숭하다 여럿이 다 그런 것 같기도 하고 그렇지 아니한 것 같기도 하여 가려서 알기 아주 어렵다.

석쇠 절에서 새벽에 사람을 깨울 때 치는 종.

여윈잠 깊이 들지 않은 잠.

벙어리매미

윤달이든해라그런지소서지나초복에서야말매미가운다

갓머리오란비긋는세나절눈이가매지도록기다렸나보다

아니다어제오늘할것없이찍소리못하고사는매미가있다

벙어리매미 암컷 매미를 이르는 말.

갓머리 산등성이 가장 높은 곳.

오란비 장마.

세나절 잠깐이면 끝마칠 수 있는 일을 느리게 하여 늦어지는 동안을 얄잡아 보며
　　놀리듯이 이르는 말.

웃지나 말지

세미원 연꽃을 둘러보려고 넓적넓적한 다릿돌을 곱밟으며
잎그늘 따라 비척대다가 예닐곱 먹은 여자애와 딱 마주쳤다
아이는 엄마 손잡고 영산야 지산야 엉덩춤 깨춤 짓이 났는데
외어서 비켜 줄까 말까 속궁냥하다 턱 가로막고 가위바위보!
흥 메꽃 같은 손으로 주먹을 낼 줄이야 고맙습니다 할아버지
애젊은 엄마가 방실 입인사하더니 아이 손잡고 우쭐렁오쫄랑
멀어져가는 물그림자 멀뚱멀뚱 넘겨다본다

동동 뜬 물오리 뒤로하고 비걱삐걱 배다리 건너면

북한강 남한강이 만나 하나된 두물머리 널따란 마당허리
뙤약볕 한가운데 칠십 줄에 접어든 아저씨 둘이 겨끔내기로
아이스 께에 끼이 아이스 께에 끼이 높높이 머리악을 쓰는데
사백 년 느티나무 뿌리둘레 거들떠보는 넉점박이 하나 없어
앉은자리 안고나서며 뻠들이로 아이수 께에 끼이 천 원 쓰윽
웃하늘 몽개몽개 구름송이 부풀듯 넘늘이 뽑아 올리는 한낮
사흘 만에 들어온 마누라 달래듯 허면 어찌 산댜 내질르야지
막냇동생뻘 앞에서 헤벌레 쭉정웃음 짓는다

곱밟다 남이 한 일을 뒤따라 그대로 다시 하다.

영산야 지산야 몹시 신바람이 나는 모습.

깨춤 깨를 볶을 때 깨가 톡톡 튀듯, 몸집이 작은 사람이 방정맞게 까부는 모습을
　빗대어 이르는 말.

외어서다 길을 비켜서거나 다른 쪽으로 옮겨 서다.

겨끔내기 서로 바꾸어서 하기.

안고나서다 남의 일을 바꾸어 새로 맡아 나서다.

꼬꼬닭

꼬꼬 꼬꼬닭은
나좃밥 먹고 밤들도록 시지르다가
샐녘이면 입다짐하지요

웅웅웅
콩콩콩
살랑살랑

입짓 엉덩잇짓 꼭 배워
머지않아 들이닥칠 복철 중복허리
닷곱방 곁자리

까미야
동동아
구르미야

이리 와 끝말잇기 하자
꼬꼬댁 꼭꼭 소리칠 생각뿐이지요

나좃밥 저녁밥.

시지르다 '졸다'를 낮고 점잖지 못하게 이르는 말.

중복허리 중복 무렵의 가장 더운 때.

닷곱방 아주 작은 방을 놀리듯 이르는 말.

내남적읎이

오라간만이여 복다람이 워치게 사나 헤서
외루 지나 바루 지나 뒌소내기나 겁나게 쏟어지넌 수백긔
호딘 소내길랑사리 슬버텀 웅 개갈 안 났잖어
물러 쇤둥만둥 점더락 둥굴그렸으니께
때약벳티 전딜 만헌감 방송마두 입방장 떨어 쌓더먼
하루 시 븡 찬물 넹기기 바뻐설래미 알간
물갓뎅이 웅산 워디 바람 쐬구 왔남 이름은 지얄 거 아녀
집이 오먼 꼬구르르 새벽참 뒷간 댕여오듯 댕겨왔지
네 말 않구 옹액이 한츨이 흙탕물 구더리래두
츠서랑 말볙은 밤그늘알라 달부니께루
허기사 니열모리 한갑이다 어쩌구 내남적읎이 혼소리더니
누가 아니랴 시늠시늠 눈 온 다음날 뫼여

내남적윦이 나와 다른 사람이나 모두 마찬가지로.

복다람 복이 들어 몹시 더운 철.

호딘 다른 사람이 하는 말을 받아서 그렇지 아니하다고 맞서 거스를 때 하는 말.

소내길랑사리 소나기는커녕.

옹 도무지.

개갈 안 나다 일 따위가 또렷하게 맺고 끊는 맛이 없다.

쇤둥만둥 명절 따위를 쇠나 마나 하게 쇠는 모습.

점더락 해가 져서 어두워질 때까지.

응산 볕이 잘 들지 아니하는 그늘진 곳.

네 말 않구 네가 말한 바와 같이.

옹액이 맹꽁이.

구더리 땅이 움푹하게 파인 곳.

달부니께루 다르니까.

허기사 '있는 그대로 알맞게 말하자면'의 뜻으로, 앞에서 한 말을 옳다고 여기며 그 말에 덧붙여 말할 때에 쓴다.

흔소리 터무니없이 떠벌리거나 거드럭거리며 부풀리는 말.

시늠시늠 눈이 조용히 자꾸 내리는 모습.

지붕에 오른 소

여북했으면 무더기비 맞으며 우두망찰 서 있나

억수장마 허접쓰레기
울렁줄렁 밤바다로 섭슬리는데

저승만 한 함석지붕 곬수채까지 어마지두 떠밀렸을까

두립사리 더딘 하루
움마 고개 들어 조각하늘 본다

사람들 세상 수걱수걱 살아온 나날 그망없어라

여드레 여든 걸음발
그빨로 소달깃날 지나고 써레씻이 당내 저물어

어깨마루에 별똥별 내리박힌들

반딧불 날아오르는 미루벌 살터 어느 세월에 닿으리

우두망찰 얼떨떨하여 어찌할 바를 모르는 모습.

저승만 하다 두렵거나 끔찍한 생각이 들어 마음이 내키지 아니하다.

곬수채 기울어진 지붕의 물을 받아 처마까지 흐르게 만든 골.

어마지두 무섭고 놀라서 얼떨떨한 판.

두립사리 두렵게.

조각하늘 구름이 덮인 가운데 드문드문 빠끔히 보이는 하늘.

수걱수걱 말없이 꾸준하게 일하거나 고분고분하게 따르는 모습.

그망없다 그지없다.

그빨로 나쁜 버릇을 버리지 않고 그대로.

써레씻이 모내기를 끝내고 날을 잡아 즐겁게 노는 일. 모내기를 하는 동안 쓰던 써레를
    씻어서 간수한다는 데서 생긴 말로, 이날은 머슴들에게 먹을거리를 내놓고 돈도
    주어 쉬게 한다.

당내 살아 있는 동안.

어깨마루 소의 어깨 끝에 있는, 멍에를 얹은 자리에 생긴 혹.

미루벌 꽤 넓고 판판한 벌판.

장례식장 가는 길

동무들이 새금산병원 장례식장에 일몰러 가자고 서울에서
서산 가까이 길세를 내는 데까지 데리러 온다니 점직할 따름
진둥한둥 장맞이 나가 슬몃슬몃 기다리는데 배동 선 논머리
달맞이꽃은 파란불 바라다 시뜻이 졸고 오면가면 헤살 놓는
천둥벌거숭이들 여우볕 한가운데 나직나직이 맴돌이합니다

얼마나 들이퍼부었으면 욜랑졸랑 물도랑 따라 떠내려가는
봉숭아 꽃상엿길 소금쟁이 메뚜기 한 마리 알짱거리지 않고
허여멀끔한 지렁이 움질굼질 배밀이하며 용쓰는 시멘트 옹벽
내려다볼수록 가풀막져 오마조마 가슴 저린 산그늘 애기매미
아저씨아저씨 울보채다 말고 제물에 발랑발랑 자지러집니다

요놈을 엎든답시고 아까시 잎꼭지 똑똑 뜯어 냅더서다가
개울에 빠뜨리면 말짱 도루묵 팡파진 머위 잎자루 뚝 분질러
집어내면 마침맞은데 이른 봄 데쳐 먹던 생각에 손길이 무춤
두리번도리반 삭정이젓가락 꺾어 들고 우쭐우쭐 되돌아가니
도랑벽을 기어오르던 알몸뚱이 예런 듯 온데간데없습니다

일물다 사람이 죽어 장례를 치르는 집에 돈을 보내어 도와주다.
점직하다 부끄럽고 마음이 쓰이다.
진둥한둥 매우 바빠서 몹시 서두르는 모습.
장맞이 길목을 지키고 사람을 기다리는 일.
배동 서다 벼 이삭이 나오려고 줄기가 불룩해지다.
시뜻이 물리거나 지루해져 조금 싫은 느낌이 얼굴에 드러나게.
천둥벌거숭이 고추잠자리.
오마조마 마음이 매우 조마조마한 모습.
옆들다 옆에서 도와주다.
냅더서다 알 바 없는 일에 불쑥 끼어들어 나서다.

입추

찬바람 났나 허아랫소리 우물거리며
땅띔 못 하는 가을빛

우리 얼운님 지나가는 말로
날마다 59.3이라더니
오늘은 58.9네

쌉쓸한 상추무침 둥덩산같은 아침때

말랑몰랑몰랑 보오지
발랑벌렁벌렁 조오지 조치요

가로닫이창 벌레막이
기생매미 조냥
얄망궂게 쏘삭거리는 방구석

저울은 잇긋 않고 앉아
여름나이 무게를 제사날로 돌려놓고

혀아랫소리 잘 들리지 아니하게 입 안의 소리로 하는 말.

가을빛 가까이에서 가을을 느끼게 하는 자연의 모습.

둥덩산같다 많이 쌓여 수북하다.

얄망궂다 남달리 야릇하고 까다로우며 얄미운 데가 있다.

잇긋 않다 맞은편의 말이나 몸짓에 아무런 움직임을 보이지 않다.

여름나이 덥고 장마 지는 여름철을 지내는 일.

제사날로 남이 시키지 않은 저 혼자 생각으로.

칠석

별하늘을 바라다봐
오늘 밤저녁
베틀신틀 만나는 칠석날

한해걸음했는데 또
되돌아서야 하는 오작교로구나
한숨짓지 말고

우리는 하나뿐인 외쪽이
어느 모퉁이 구어박혔든

올제는 달을 좀 봐
비우고 채우며
위없이 깊어지는 민얼굴

상사화 뒷뉘
즈믄 해 흐놀아 저토록 옛토록
발맘발맘 건너가는

베틀신틀 '직녀견우'를 달리 이르는 말.
한해걸음하다 어떤 일을 시작하여 한 해 동안 해 오거나 해 나가다.
구어박히다 한곳에서 꼼짝 못 하고 붙박여 지내게 되다.
올제 오늘 바로 다음 날.
위없이 그 위를 넘는 것이 없을 만큼 가장 높고 좋게.
뒷뉘 앞으로 올 누리.
흐놀다 몹시 그리면서 그것만을 생각하다.

장맛비 지짐거리는 아침

저 아저씨 참 안됐어
음식물 쓰레기를 버리러 나왔드라
궂은비 오는 날 아침부터 우산도 없이 말이야
집에서 얼마나 뭐라 했으면

아냐 멋진 사람 같애
까치둥지 얹은 맨얼굴에 꾸김없이
옆에서 냄새난다니까 덜렁덜렁 들고 나섰겠지
시킨다고 다 하나 남자들이

등 너머 속닥궁이 웃음
들릴 듯 보일 듯
잠비 속 지렁이 우는 지막골 뒤란

고만 일어나 비 쉭헌디
장꽝 저짝이루 풀 점 제 뻡으야지
워니 절이 가락 풀은 앙가심 닿더락 질었다니
누가 내다볼라 넘새무끄럽게

지짐거리다 조금씩 내리는 비가 자꾸 오다 말다 하며 내리다.

속닥궁이 서로 만나서 말을 주고받고 어떤 일을 꾀함.

잠비 여름에 일을 쉬고 낮잠을 잘 수 있게 하는 비라는 뜻으로, 여름비를 이르는 말.

지막골 충남 태안군 태안읍 산후리 2구 2반.

숙허다 잦거나 지나치던 모습이 좀 가라앉아 뜸하다.

장꽝 장독을 놓아두려고 뒤란에 좀 높직하게 만들어 놓은 곳.

워니 절이 어느 겨를에.

가락 가지.

넘새무끄럽다 다른 사람을 마주하기가 부끄럽다.

오늘따라

머릿밑 볕이 쟁글쟁글 째듯한 아침날
부춘산 무릎도리 다져 놓은 흙길 맨발길을 걷습니다
밤새 뒤훑은 처서물 큰물 탓인지
군데군데 엇깎인 자리 모래자갈 넘쳐나고
율모기 녀석 스르르 엇질러 내빼지만
둘이서 걷는 길은 만질맨질 시원따듯하게 무솔아
흙투성이 스무 발가락 옴질곰질 꼬마둥이만치 즐겁습니다
쿵짜자 쿵짝 꺾어 넘는 햇늙은이
앉은 의자보다 긴 글줄 밀어 올리는 혼줄
치뻗은 팔꿈치 내뻗는 발꿈치 너더댓 앞서간 오르막
요 발끝이 그중 낮지 내려묻다가
밤낮 앉아 있어 그렇지 한소리 들으며 척
바짓단을 곱접으며 매끌미끌한 흙바닥 되짚어가는 늦여름
다랑귀 뛰는 애기매미 석쉰 부름조차 다웁실한데
빗골짜기 우북수북한 죽은골짜기
꾀꼴래용 꾀꼴래용 고든박골 니하래비꼬끼달래용
멍석딸기 그리는 꾀꼬리 외따로 샛노라니
서산마루는 오늘따라 이마에 닿을 듯 길게 앉아 있습니다 째듯하다 빛이 밝고 뚜렷하다.

처서물 처서 앞뒤로 지는 큰물.

무솔다 장마가 오랫동안 이어져 땅이 질벅질벅하게 되다.

흔줄 마흔 살에서 마흔아홉 살 나이.

다랑귀 뛰다 찰싹 달라붙어서 끈덕지게 조르다.

석쉬다 목소리가 좀 갈린 듯하게 쉬다.

빗골짜기 빗물에 패어 생긴 골짜기. 여느 때에는 물이 말라 있고 비가 올 때만 물이
　　흐른다.

죽은골짜기 물이 흐르지 않게 된 골짜기.

꾀꼴래용 꾀꼴래용 니하래비꼬끼달래용 이오덕 글알집 『고든박골 가는 길』에서 끌어다
　　씀.

가을

뚜벙 찾아올 마음붙이가 없으니 쓰렁쓰렁한

9월은

늦마 숲정이 께느른한 덜께기 푸드덩
골안개 거드치는 이슬아침
아래청 위청 어우러진 모뽀리 지며리 귀 익은 자릿봇 잴봇
갈부던 아라멧길 나암나암 깃들이듯 대오더이다

덤부렁듬쑥 치렁한 칡넝쿨
애솔 도래솔 타고앉아 오가는 분네 나절가웃 넘성거리다가
불밤송이 수팜송이 곱드러져 엎드러진
묵무덤 자줏빛 꽃송아리 한 주먹 슬쩍 올려놓고

9월은 안여닫이 지그린 나팔꽃 아래뜸
퉁별 뚝별 마실 가는 길섶
긴날개여치 철써기 긴꼬리쌕쌔기 뱌비작비비작 발싸심하니
베갯모 일잠 든 붉은 등마루 해묵이 영글더이다

늦마 제철이 지난 뒤에 지는 장마.

덜께기 늙은 수꿩.

모뿌리 여럿이 목소리를 맞추어서 노래를 부름.

지며리 차분하고 탐탁한 모습.

자릿봇 매미 애벌레가 자라서 나무로 올라갈 때 벗은 허물.

갈부던 떡갈나무나 이깔나무 따위가 옆으로 우거진 곳에 밟고 오르내릴 수 있도록
　　턱이 지게 만든 길.

나암나암 모르는 사이에 조금씩 조금씩.

덤부렁듬쑥 수풀이 우거져 그윽한 모습.

도래솔 무덤가에 죽 둘러선 소나무.

불밤송이 채 익지 못하고 말라 떨어진 밤송이.

수팜송이 알이 제대로 들지 않은 밤송이.

곱드러지다 부딪히거나 걸어차이거나 하여 앞으로 고꾸라지다.

지그리다 문을 지그시 닫다.

퉁별 퉁방울같이 크게 보이는 별.

뚝별 별무리에서 따로 떨어져 있는 별.

일잠 저녁에 일찍 자는 잠.

붉은 등마루 여기서는 봉숭아 물을 들인 손톱을 말함.

83

헛꿈

　쇠문이 열리고 올림머리를 한 할머니가 걸어서 나오는데 누가 봐도 아는 얼굴이라 길마중 나온 척 반가이 알은척하며 잘 지내셨어요 무람없이 인사하자 과글이 마주 서는 냉갈령 저 모르겠어요 스무 해 먼저 이 길로 모셔다드린 풀잎사람 그제야 눈나즈레 돌아서서 두말없이 목깃을 세우고 또각또각 저리 휭허케 간다

　어디로 가는지 백여우한테 홀린 듯 사위스레 따라갔더니 붉은순나무 울타리 금잔디 골프장 그림자마저 시푸른 용마루 통창은 가없이 인왕산 끝자락에 닿고 재난지원금을 보냈을까 눈높이 바보상자 네둘레로 반드르르한 업거울 접치고 곱치며 들이비치는 아랫도리 사슬문고리 뉘누리 속 쑤욱 둘러빠지는 열 길 물구렁텅이

　후두둑투둑 들이치는 빗소리 아랫녘 들녘 정방든 하이선 고새 작은집 들렀나 닷새장이 멀다 하고 바람질 비갈망이니 뭐가 외마디 잠소리에 엄벙뗑 코대답하며 바로 눕는 잠허리 헛꿈 언저리 뒤꾸머리 걷어찬 홑이불을 곰질꼼질 끌어올린다 몇 시쯤 되었을까

과글이 생각할 겨를도 없이 빨리.

냉갈령 몹시 얄미울 만큼 쌀쌀한 몸가짐.

풀잎사람 '백성'을 끈질기게 살아가는 풀에 빗대어 이르는 말.

사위스레 흔히 있을 만하지 아니한 느낌으로 말미암아 어쩐지 마음 한구석이 꺼림칙하게.

업거울 집안 살림을 잘 보살펴 돌보는 구실을 한다는 거울.

뉘누리 바닥이 패어 물이 빙빙 돌며 흘러나가는 곳.

정방들다 신랑이 장가드는 날 각시 집에 오기 앞서 옆집에서 쉬다.

하이선 2020년 제10호 태풍.

비갈망 비를 맞지 아니하도록 미리 여러 가지로 갖추는 일.

엄벙뗑 어떤 일이 되어가는 형편을 얼김에 슬쩍 넘기는 모습.

잠허리 잠을 자는 동안의 가운데쯤.

뒤꾸머리 발의 뒤쪽 발바닥과 발목 사이의 불룩한 곳.

죽을 쑨다

한 주먹 더 넣을까 어방대며
입쌀을 줌줌이 씻는다
진작에 손어림 물가늠하여 시름도이 그느른 이가 있기에
식은 죽 먹기는 선소리구나 되돌아본다

백로 지났다는 말 지내듣다가
고추 멍석 왈그락달그락 갭직한 첫가을
그예 배탈 똥탈이 났다
풀 방구리에 생쥐 드나들듯 뒷간질 욀질 어질어질
고추잠자리 안뜰 안 휘노는데
쓰디쓴 육모초 한 사발
시그름한 숭늉 한 모금 입가심하고 후
흰죽 몇 숟갈 따끈뜨끈히 떠먹은 베갯머리 구들목

맛문한 배허리 한눈 붙이더니
자분자분 죽을 안친다
불이 괄면 바르르 끓어 넘치고 물을 덧넣으면 죽이 붇고
물불을 다스려 입맛 나는 흰죽을 쑨다

어방대다 어림하여 헤아리다.

입쌀 멥쌀을 보리쌀이나 찹쌀에 맞서서 이르는 말.

줌줌이 주먹으로 쥘 만큼씩 잇따라.

시름도이 걱정스럽게.

지내듣다 어떤 말이나 소리를 마음에 새겨 두고 삼가지 아니하고 쉽게 흘려듣다.

방구리 작은 질그릇.

욱질 속이 메스꺼워 자꾸 토하려고 하는 짓.

시그름하다 쉰 듯하다.

숭늉 밥을 지은 솥에서 밥을 푼 뒤에 물을 붓고 데운 물.

맛문하다 몹시 지쳐 있다.

자분자분 마음이나 몸가짐이 부드럽고 조용하며 찬찬한 모습.

가을앓이

네댓새 지난 일이 허우룩이 잊히지 않아 왔다 갔다 하다가
일잠 든 붉은 등마루 해뭇이 영글더이다 글꼬리 매조진 뒤
끄응 기지개를 켜는데 바람창 귀서리 말매미 하나 나앉았다
달라지고개 너머 콩 팔러 가는 지아비 오도카니 눈바래는지
무지근하던 뒤배앓이 더치는지 기름한 겉날개옷 덧걸친 채
낮새껏 옴짝달싹하지 않는다

저녁달 한 꼬집 볼가심하고 입속말 할듯할듯 지칫댔는데
에미령해 흘려보낸 달구름 고개춤 단춤 추는 미루나무 잎새
손그늘 틈새 다직 꿈에 사위 본 듯 들떠보며 턱춤을 추다가
비영비영하니 몸져누운 긴긴해 이승잠 아물어물 찾아든다면
잔즛이 곁을 주고 싶어 별밤 미안풀이를 하고 싶어 눈썹달은
살짝 떴다 일찍 지는지 몰라

허우룩이 마음이 텅 빈 것같이 허전하고 서운하게.

해뭇이 눈에 잘 띄지 아니하게 살짝 한 번 웃는 모습.

바람창 바람은 드나들고 모기나 벌레 따위가 들어오지 못하게 창문에 치는 그물.

달라지고개 충남 서산시 읍내동과 갈산동을 넘나드는 고개.

뒤배앓이 아이를 낳은 뒤에 생기는 배앓이.

꼬집 엄지와 검지로 집을 만한 만큼을 세는 하나치.

지칫대다 마땅히 떠나야 할 자리를 훌쩍 떠나지 못하고 이리저리 생각하며 자꾸 머뭇거리다.

달구름 흘러가는 긴 동안.

고개춤 끝에 붙었거나 달린 것이 춤을 추듯이 흔들리는 모습을 빗대어 이르는 말.

들떠보다 고개를 들어서 쳐다보다.

잔즛이 드러나지 아니하게 조용히.

화사상선조

골골 푸르른 치마무덤인가

등굽잇 길 아리아리 넘어간 할아버지 아버지

죽산 백산 잎잎이

바람 한술 들고 곧장 일떠서는 배알티

피어린 꽃인가

우세두세 발그림자 돌려세우는

혈수할수없이게 바라오르다 젖어오르다

맨몸뚱이

알밤 곤두박이는 자드락

투둑

자드락 나지막한 산기슭의 비탈진 땅.

게바라오르다 낮은 곳에서 높은 곳으로 기듯이 올라가다.

배알티 억지로 시키는 일이나 억누름 따위를 받아들이지 아니하고 물리치며 맞서서
버티는 마음.

죽산백산 동학 농민군이 모여 있는 모습.

아리아리 새로운 길을 찾아가거나 새로 길을 만들며 나아가는 모습.

할아버지아버지 증조할아버지.

치마무덤 죽은 사람 몸을 찾지 못할 때를 채비하여 남편 피를 아내 치마에 적셔 놓았다가
그 피가 묻은 치마로 만든 무덤.

다저녁때

그만 불러라 철 그른 매미야
도비산 지레목에 달라붙어 해구멍을 막아 봤자
골짝 골짝 기슭막이 아가리 딱 벌린 채 나자빠진 밤송이뿐
풀벌레겠지 요새 무슨 매미가 있겠어
지나가는 사람들한테 퉁어리적게 콧방 맞기 십상이다

서른한 살에 퇴직금 오십억을 받은들
재난지원금을 25만 원 준들
바지를 한 번 더 내릴까요 뱃심 좋게 반죽떠는
집이 없어 청약통장을 만들어 보지 못했다고 도리도리하는
청백염근리 가운데 하나 골라잡으라는 영금을 아느냐

푸르누런 저 논벌 토끼뜀 한사리 까마아득한데
외톨밤 주워 들고 어쩔 줄 몰라 회들거리는 청설모 꼬랑이
빙그르르 벚나무 잎 떨구는 단풍머리
뚜벙 찾아올 마음붙이가 없으니 쓰렁쓰렁한 때로구나
이제는 들어가자 가을매미야

도비산 충남 서산시 부석면에 있는 산.

지레목 산줄기가 끊어진 곳.

기슭막이 개울이나 산기슭, 둑 따위가 패는 것을 막으려고 기슭이나 물 흐르는 쪽과
　　나란하게 쌓아 만든 담.

통어리적다 옳은지 그른지도 모르고 움직이는 데가 있다.

반죽떨다 별로 부끄러운 얼굴빛도 없이 아니꼽거나 싫은 일을 잘 견디는 힘이 있게
　　어떤 말이나 몸짓을 하다.

청백염근리 '청백리'와 '염근리'를 아울러 이르는 말.

토끼뜀 바다에 이는 물결에 실려 아래위로 오르내리는 흰 거품을 빗대어 이르는 말.

한사리 음력 보름과 그믐 무렵 밀물이 가장 높이 들어오는 때.

회들거리다 작은 짐승이 꼬리를 자꾸 회회 내두르다.

뚜벙 난데없이 불쑥.

마음붙이 마음이 잘 맞는 가까운 사람.

쓰렁쓰렁하다 서로 멀어져서 서먹서먹하고 쓸쓸하다.

어느덧

비거스렁이 날씨 탓인지 쥐꼬리만큼 짧은 햇덧 때문인지
노녘 하늘마음 삐걱삐걱 길잡는 쇠기러기 오르내리는 발걸음
뚝 그친 해거름녘 새붉은 나들잇잎 도란거린다

옥녀봉 등판길 터벙터벙 휘돌다가 철봉대에 꼿꼿이 매달린
옥천내기를 만났는데 나이가 들수록 근력운동을 해야 좋다며
턱걸이 한번 해보시라 비켜 준다 한창때도 하지 않은 운동을
새꼽맞게 손을 붙이고 싶겠나 어름더듬하자 잘하게 생겼다고
내친김에 하라고 허청웃음 터트린다 까짓것 댓 개야 못 할까
우두둑뚜두둑 어깻죽지 두어 번 돌린 다음 철봉을 그러쥐니
자릿한 느낌에 간만에 목덜미까지 팽팽히 곤두서는데 얼러리
백 근 못 되는 똥집이 어쩐지 천 근 같다 이럴 턱이 없는데
체력장을 할 때 열아홉 개 거뜬거뜬 해치우고 거꾸로오르기
차오르기는 누운 암소 타기였는데 바들바들 발버둥질을 친다

저 건너 빈터에서 잘살던 자랑하면 무슨 소용 있나 어느덧
어둑어둑한 내리막길 산밭치 화들짝 불이 들어오고 군것지게
앞서 걷는 밤그림자 돌부리에 채어 허뚱거린다

비거스렁이 비가 갠 뒤에 바람이 불고 추워지는 일.

햇덕 일하는 데 해가 베푸는 도움.

하늘마음 하늘처럼 맑고 넓고 고요한 마음.

등판길 바닥이 고르고 판판하게 넓은 산등성이에 난 길.

새꼽맞다 하지 않던 일을 하니 보기에 두드러진 데가 있다.

어름더듬하다 말을 더듬으며 자꾸 우물쭈물하다.

허청웃음 아무런 생각이 없이 문득 웃는 웃음.

군것지다 없어도 좋을 것이 쓸데없이 있어서 거추장스럽다.

머다란 하늘 아래

10/16

사용 금액: 17,530원

남은 금액: 1,640원

서산농협

10/13

사용 금액: 18,600원

남은 금액: 19,170원

밝은약국

10/10 10/06 09/30 09/26 09/20

09/16

사용 금액: 4,380원

남은 금액: 245,620원

서산축산업

언침제먹는은외지할네미가콩오죽죽으둥로이사달나면

언제는 외할미 콩죽으로 사나 그동안 나라에서 베풀어 주는 도움으로 살아온 것이
  아니니 이제 와서 새삼스럽게 생각하여 주는 은전을 바라지 아니한다고 또렷하게
  물리치는 말.

침 먹은 지네 할 말이 있어도 못 하는 사람을 빗대어 이르는 말.

등이 달다 마음대로 되지 아니하여 몹시 안타까워하다.

쥐구멍을 찾다

　형님네가 저수지 옆 서덜밭에 고구마를 묻다가 남았다기에
고구마 순 한 단 사 들고 가서 각시랑 두 이랑 반 심어 놓고
물을 듬뿍 주고 보름 지나 가 봤더니 반나마 말라비틀어졌다
그다음 일요일 죄 잇고 나서 구름장에 치부한 듯 까먹었는데
어느 날 형님이 동서네는 녀서 묻었으야지 세서 심으먼 되간
인저는 잘 들두 않여 듣고 보니 어머니는 고구마를 심는다고
하지 않고 놓는다 하셨지 제 딴에는 농사꾼 아들이라 여겼건만
말 타고 꽃구경을 했구나 뒷생각하니 허뿔싸 쥐구멍이 없다

　그럭저럭 애호박이 늙은호박 되고 대바람 소리 스적이는
한가을 괜히 오줌 마려운 점심나절 둘이 이것저것 챙겨 신고
고구마밭으로 갔다 덩굴이랑 풀이랑 어우러져 우긋한 밭고랑
죽죽 걷어 젖히며 낫자리마다 푹푹 떠 넘기니 길쭉한 뿌리에
감자만 한 고구마가 두어 개 붙었다 뭐 이래 마당삼 캐기구먼
헛심 빠지는 가을손 이따금 뽑은 호박고구마를 보란 듯 없어
경성드뭇이 채운 상자를 들고 언틀먼틀한 밭둑길 올라서는데
작은아비 제삿날 지내듯 살아온 날이 새통빠지게 묵직하다

서덜밭 물가의 돌이 많이 깔린 땅에 있는 밭.

구름장에 치부 흘러가는 구름장에 적어 놓는다는 뜻으로, 보고 들은 것을 쉽게 잊어버림을 빗대어 이르는 말.

말 타고 꽃구경 있는 것을 낱낱이 못 보고 설쳐 대며 건성으로 훑어봄을 빗대어 이르는 말.

대바람 대나무 사이로 스치는 바람.

낫자리 낫에 잘린 자리.

마당삼 캐기 힘들이지 아니하고 쉽게 이룬 일을 빗대어 이르는 말.

가을손 가을걷이하는 손. 또는 그런 손놀림.

언틀먼틀하다 바닥이 고르지 못하여 울퉁불퉁하다.

새퉁빠지다 매우 어처구니없이 새삼스럽다.

그믐반달이 저녁샛별에게

한 사람이
한 사람을 바라보는
불나비사랑 세골접이로 접쳐 놓고
다시금 눈 날려
고드름 굵다란 도린곁
오롱조롱한
뭇사람 찾음 찾음 돌아다보라

이맛전 저녁샛별 어섯눈 뜨는 서산머리까지
하늘문 그믐반달 스사루 희바래질 아침까지

한 사랑이
한 사랑을 마중하는
울안 밤중 같은 홑사람 되지 말고
소쩍새 어린 봄
감노을 드리운 늦가을
어금지금한
뭇사랑 놀메 놀메 이룩하여라

불나비사랑 느낌에 휩쓸려 옳고 그름이나 형편 따위를 헤아리지 아니하고 닥치는
　　대로 하는 사랑.
세골접이 세 번 포개어 접는 일.
도린곁 사람이 별로 가지 않는 외진 곳.
오롱조롱하다 여럿이 생김새나 크기가 저마다 다르다.
찾음찾음 여기저기 찾아다니는 모습.
하늘문 덮였던 구름이 가시면서 펼쳐지는 푸른 하늘.
스사루 천천히.
홑사람 속이 깊지 못하고 얕은 사람을 낮잡아 이르는 말.
감노을 늦가을에 감이 많이 열려 그 둘레가 노을처럼 붉게 보임을 빗대어 이르는
　　말.
어금지금하다 서로 엇비슷하여 큰 높낮이가 없다.
놀메놀메 놀면서 천천히.

탁배기 한 사발

감나무 잎사귀 외슬랑외슬랑 길채비 바쁜 서릿가을 갓밝이
재 한 삼태미 담아내고 참새 입초시 싸르락싸르락 쓸어 내고
골안개 자오록이 새마을 한 개비 붙여 물던 얼음지기 아버지
자작자작한 샘물받이 사름 잡히다 탈탈 탈리니 애성이 받쳐
물소리 끊어진 냇바닥 그예 파헤쳐 낮밤을 잊은 채 잇대더니
물꼬 타 놓고 복새 퍼내고 어름베 일쓰다 일쓰다 돌아눕는
물풍년 지나새나 희새 걱정 목도열병 걱정 코 골 새 없이
되가리 치고 베낄 떼고 와룽와룽 가을마당 가을내림 저물녘
메베를 둔사고 온 장날은 얼쩡한 허텅지거리 누가 뭐랄까만
짚토매처럼 쓰러져 한 끼 거르면 그만 마흔하나에 본 큰아들
열댓에 배돌다가 예수남은 모퉁이 돌아서는지 똘똘한 열 살
구월 스무이튿날 아침 윗말 아랫말 안심부름 줄달음 한 바퀴
아침 잡수러 오래유 기유 불낙게 오시래유 종산이 형네 가니
시수허구 근너가마 하고 이도러 계완네 올라가니 이러쩌쩌쩌
한마루 쩌렁쩌렁한데 어느 돈을볕인가 마른바가지 지르밟고
먼 길 나섰다가 곰솔 마당 까치집 뜰아래채 돌아오신 아버지
백 번째 생신상 두레상 동네 아저씨들 왁자글 둘러앉기 앞서
엄마가 가마솥에 뜨뜻하게 띄워 둔 탁배기 한 사발 올립니다

102

갓밝이 날이 막 밝을 무렵.

삼태미 삼태기.

입초시 이러쿵저러쿵 남의 흉을 보는 입놀림.

열음지기 농사짓는 일을 하는 사람.

자작자작하다 물이 점점 잦아들어 적다.

샘물받이 샘물을 끌어대는 논.

사름 논에 모를 심은 지 너더댓새 지난 뒤에 모가 뿌리를 내려 파랗고 힘차게 보이는
　　모습.

복새 물결에 밀려서 한곳에 쌓인 모래.

어름베 제철보다 늦게 여무는 벼 가운데 하나.

희새 이화명충.

되가리 볏단을 말릴 때에 벼 이삭이 골고루 잘 마르도록 한 뭇 한 뭇 앞뒤를 뒤집어
　　세워 놓은 볏단.

베끌 때다 논둑에 말린 볏단을 바심하는 곳으로 나르다.

메베 쌀로 밥을 지었을 때 밥알에 끈기가 없는 벼.

둔사다 팔아 돈을 마련하다.

허텅지거리 못마땅한 일이 있을 때 맞은편을 꼭 집어 바로 말하지 아니하고 혼자
　　하는 말.

짚토매 볏짚 묶음.

불낙게 서둘러서 아주 빨리.

이도러 가까이 사는 집.

새앙꽃

살다 살다 처음 보네

움벼 자란 논배미 끄트머리
하루나절이 다르게 시붉은 산턱 입동머리
우두둑 새앙을 따며
흰서리 환갑 먹도록 보지 못한 꽃

나팔꽃보다 숫진 고구마꽃은 오며 가며 더러 눈인사했지만

국화 축제 안고 도는 먼발치
구리구리한 은행 구린내 묻어나는 뒤꿈치
냅다 상앗대질하듯
솟친 새앙손 무턱대고 삽질하다가

터알머리 끼웃이 서네

움벼 가을에 베어 낸 그루에서 새로 싹이 나서 자란 벼.

산턱 산꼭대기와 산허리 사이에 조금 두두룩하게 된 곳.

안고 돌다 여럿이 뒤섞여 어수선하게 꼬리를 물고 붐비다.

새앙손 손가락이 잘리어서 생강과 같이 뭉툭하게 생긴 손.

터알머리 집 가까운 곳에 있는 작은 밭의 한쪽 끝.

햇눈 온다는 아침

까치감 볼긋볼긋한 우체국 우체통 옆
첫눈맞이 전화를 걸며
하롱하롱 날아내리는 눈송이 깃비 손 내민 적 있지

동경대 걸앉아 알주먹 엎어쥔 주머니
볼록뽈록 끈히 기다려
살살 붐비는 눈발 고마이 눈인사하지 못하고

짓숙인 바데기 갯바위 토끼야 토끼야
아이노래 일없이 흥얼대다가
겨울이 되면 무얼 먹고 사느냐 울먹울먹한 적 있지

창비 영인본 스물세 권 거저 받은 날
거짓말처럼 첫눈이 날리더니
열두 해 지나 햇눈 온다는 아침 진비 오는데

해묵은 글알집 연득없이 부치고 있지
숫눈송이 성긴 길목 또바기 헌책방을 연 윤한수 님

까치감 늦가을에 감을 거두어들일 때 다 따지 아니하고 까치 따위 새들이 먹을 수
　있도록 남겨 두는 감.

깃비 기쁘게.

동경대 충남 태안군 백화산 중턱에 있는 바위.

끈히 질기도록 끈기 있게.

고마이 남이 베풀어 준 도움 따위에 마음이 흐뭇하고 즐겁게.

바데기 충남 태안군 소원면 파도리.

진비 멎지 아니하고 잇따라 내리는 비.

글알집 ‘시집’을 달리 이르는 말.

연득없이 갑자기 어떤 몸짓을 하는 모습이 있게.

또바기 언제나 한결같이 꼭 그렇게.

기역니은

디글니글
니글니글

시 살배기 구엄뎅이가
국어책을 읽넌 소리랴

누구네 쑤수밥이간
아부지 국화빵이지

어허 귀둥냥은 쫌지게 헸군
뭔 말인지 하나 물르겄지먼
옴마한티 들은 애긴디
딴은 흐무뭇헤 입때껏

기역니은
디글리을

줄밑걷으머 해다간 듸 웃어

쑤수밥 '자식'을 에둘러 이르는 말.
국화빵 서로 얼굴이 매우 닮은 사람을 빗대어 이르는 말.
쏨지다 마음 바탕이나 몸짓이 똑똑하고 힘차다.
줄밑걷다 일의 실마리나 말이 생겨난 데를 더듬어 찾다.
해다가다 날이 저물다.

겨울

골목골목 불이 꺼져 집집이 처깔한 긴긴밤

홀아비산

아무렴 그때가 좋았지
차 한잔 호호 불며 웃는 단풍철
다람쥐 애바삐 올리닫도록
우럭바위야 곰섬 큰사리에 먼눈판들
못내 알끈할 뿐인데
매지구름 내리쏟아지는 산돌림 한줄금 가뿐한 빗밑
핑계 핑계 도라지 캐러 온 알짬
바위짬 안개구름 끼었잖아
딴말하면 입 아프겠지
쑥 민들레 쇠뜨기 개망초 꿩의밥 씀바귀 소루쟁이 느렁이
달그림자 서슴대는 낮은숲
꽃자리 마디그늘 넝덩히 질러간
삼백 년 귀를 막고 머리를 긁적이다
호요바람 석삭인 손옹당이
당길마음 살 잡히니
흔들삐쭉 진달래 비칠 듯 말 듯
빈산 발등어리 시월막사리
진눈깨비 업고 뒤딸리고 지척지척 나서나 오청취당

곰섬 충남 서산시 대산읍에 딸린 섬.

큰사리 음력 보름과 그믐 무렵에 밀물이 가장 높은 때.

알끈하다 무엇을 잃거나 좋은 때를 놓치고서 두고두고 잊지 못하여 아쉬운 느낌이
　　있다.

매지구름 비를 머금은 검은 조각구름.

산돌림 산기슭으로 내리는 소나기.

느렁이 암컷 노루.

마디그늘 짧은 동안.

녕명히 외로이.

귀를 막고 머리를 굵적 팔봉산 들머리 돌에 새긴 오청취당의 시를 한글로 풀어놓은
　　글에서 끌어다 씀.

호요바람 한숨을 쉴 때 입에서 나오는 바람.

손옹댕이 손을 오므려 오목하게 만든 모습.

당길마음 제게로만 끌어당기려는 지나친 마음.

동짓날

자국눈 흩뿌린 동짓날
오늘은 몇 명일까 어제보다 덜 나와야는데
빨간불 밉보며 귀먹은 푸념을 하다가
주둥이 수이망 들쓰고 어디여
겉갈이하는 일소처럼 돌량 건늠길 껌벅끔벅 되새김한다

고구마 통가리 부듯한 겨울밤
두벌잠 잤나 동살 잡힌 노루종아리 밀치자
해맑은 까치 소리 뜸 드는 아침 내음
마룻장 통통 가로지른 꽁지발 눈에 선한 오줌발 담 모퉁이
눈사람은 어디로 가고

알게 모르게 처박힌 아이들아
골목골목 불이 꺼져 집집이 처깔한 긴긴밤
우슬부슬 잣눈 쌓이면
포근하니 파묻힌 보리밭이 보고 싶어
허구렝이 냇갈 따라 푹푹 거닐고 싶어 참으로 짓쩍구나

자국눈 겨우 발자국이 날 만큼 적게 내린 눈.

수이망 소를 부릴 때에 소가 풀을 뜯어 먹지 못하게 하려고 소 주둥이에 씌우는 그물.

겉갈이하다 쓸데없는 풀이나 나쁜 벌레 따위를 없애려고 가을걷이가 끝난 뒤에 논밭의 겉을 얇게 갈아엎다.

돌림 여러 사람에게 잇달아 옮아 널리 퍼지는 병.

통가리 밀짚을 새끼로 엮어 방구석에 둥글게 둘러치고 그 안에 고구마를 채워 쌓은 더미.

동살 잡히다 동이 트면서 훤한 햇살이 막 비치다.

꽁지발 뒤꿈치를 들고 서 있는 발.

처깔하다 문을 아주 굳게 닫아 잠가 두다.

잣눈 한 자 깊이가 될 만큼 많이 쌓인 눈.

허구렝이 충남 태안군 태안읍 산후리 지막골을 내리흐르는 옥수천 위쪽으로, 넓고 움푹한 백화산 골짜기.

냇갈 냇물의 가장자리.

묵언

책한권빌리러갔다가아침일찍열지않는도서관뒤에두고
망일산굽이돌이오른다버드름한벗나무가시돋친엄나무
알래몰래눈뜨는진달래허여니곤두박질친차돌멩이들아
그래뱁새야어찌어찌살았으니남은엿새무에그리마디랴

세심문범종각첫대바기다가세우는묵언헛헛한절집마당
쇠말은간데온데없는데고양이한마리뒷그림자스쳐간다
천상천하무여불시방세계역무비뜯어읽는두리기둥발끝
나란히열반한호아벼말똑똑똑똑똑회향발원심목탁소리

옛사람옛정빛바랜망로정올리붙은눈깔힐끗올려다보고
바람부는대로짤랑찰랑하는쇠물고기멀거니내려다보다
내려오는허튼걸음일체중생성정각도리깨바람들이불어
꿩꿩풍기는내전보살삼검불맞도리깨질한바탕손뜨거운

굽이돌이 굽어 도는 곳.

무에 무엇이.

마디다 쉽게 닳거나 없어지지 아니하고 오래가다.

첫대바기 맞닥뜨리게 된 맨 처음.

두리기둥 둘레를 둥그렇게 깎아 만든 기둥.

눈깔 여기서는 'CCTV'를 말함.

도리깨바람 도리깨질을 할 때 일어나는 바람.

살다 보면

오긴 올 게야
외줄빼기 올라앉은 어름사니
빨래집게 못지않게 꼭꼭
맘잡고 대잡으면

낮볕 드는 한나절 마른행주 쉬어 가고
참새 귀제비 밀잠자리 다녀가고
젖은 겨우살이 구덕꾸덕이 하룻밤 자고 가는 날

오고 말 게야
겨울 하늘 하얀 비행기 보듯
소 닭 보듯 살지만 다다
서로끔 더끔더끔

화줏머리 상고대 서리찬 마당귀
청처진 빨랫줄에 바지랑대 들이세우고 떠받치면
숨차지 않은 봄언덕 내나 코밑일 게야

외줄빼기 '외줄'을 낮고 점잖지 못하게 이르는 말.

대잡다 바로잡다.

구덕꾸덕이 물이 배어 축축해진 빨래 거죽이 좀 마르거나 그대로 얼어서 꽤 굳어진
　모습.

더끔더끔 조금씩 자꾸 더하여 커지거나 많아지는 모습.

화줏머리 솟대 꼭대기.

상고대 나무나 풀에 내려 눈처럼 된 서리.

내나 끝에 가서는.

그대 밥 먹는 손으로

허울 좋은 중대재해기업처벌법 도틀어 내다 버려다오

딴죽 걸어 못 하겠다 앓는 소리 말고
날치기다 궁따지 말고
햇병아리 입바른 사살낱 끄덕끄덕 배질하다가

찍개들 우르르 도다녀간 저녁
선배님 위원님 쑥덕쑥덕 달붙어 앉아
매부 좋고 누이 좋은 겨울밤 흥야흥야 마르고 닳도록

(아무렴 벌리나 오므리나 한무내하니)

우네부네 염하기 앞서
빳빳한 노동자를 끄집어내어 뼛속들이 잡죄는
우석구석 관멤한 다음 자분참
빨간딱지 속속들이 들여붙일 수 있는

기가 막힌 중대재해근로자처벌법 땅땅 땅 만들어다오

궁따다 시치미를 떼고 엉뚱한 말을 하다.

사살낱 쓸데없이 자꾸 늘어놓는 말.

배질하다 앉아서 몸을 끄덕거리며 졸다.

찍개 '기자'를 달리 이르는 말.

한무내하다 별로 걱정할 만한 것이 없다.

우네부네 소리 내어 매우 떠들썩하게 부르짖으며 우는 모습.

우석구석 구석구석.

관몜하다 죽은 사람의 몸을 널에 넣은 뒤에 널 속 빈 곳을 다른 것으로 메워서 채우다.

자분참 때를 늦추거나 질질 끌지 아니하고 곧.

집 없는 달팽이

해뜰참 턱 받치고 앉아
먼데를 보는데
무직하니 아함 건하품이 나온다

아니 애 좀 봐
춥지 않나 어찌 살았대

서릿바람에 단풍잎같이
으으 떨던 아내가 덧옷을 걸치고 잼처
수돗물을 좌악 돋우며 씻가신다

집 없는 어린것이
찬광 김장배추 속고갱이에 붙어
한겨울 꿋꿋이 견디다니

배꼽노리 붉적이다 그만
기껍고 마음 겨워
나오려 하는 된똥을 시거에 밀어 넣는다

먼데 '뒷간'을 모나지 않고 부드럽게 이르는 말.

무직하다 뒤가 잘 나오지 아니하여 느낌이 무겁다.

잼처 어떤 일에 바로 뒤이어 거듭.

찬광 '냉장고'를 달리 이르는 말.

배꼽노리 배꼽이 있는 언저리.

기껍다 마음속으로 그윽이 기쁘다.

시거에 다음은 어찌 되었든.

봄치레

집 나서는 하룻머리
땅속 차마당은
예제없이 눈석임물 질버덕한데
앞 유리창에 둘 넷 여섯
동실동실 해말간 매화꽃 열 송이 피었다
해오름달 기나긴 밤
고르릉고르릉 묵새긴 말마투리
발김 새벽드리 아로새겨
상긋한 뒷마음
아침내 솜솜한 만큼
올봄은 고양이걸음으로 앙큼상큼 오려나

봄치레 봄을 알아차릴 수 있는 느낌.

차마당 차를 세워 두도록 마련한 곳.

해오름달 '1월'을 달리 이르는 말.

묵새기다 괴로운 마음을 애써 참으며 넘기다.

말마투리 해야 할 말을 다 하지 않고 느낌을 남기는 것.

발김 오가는 걸음이나 발자취.

새벽드리 아침에 아주 일찍이.

솜솜하다 잊혀지지 않아 눈앞에 아른거리는 것 같다.

그믐치

찬　된　하　까　다　　발　물　사　오
　길　　얀　　치　함　밤　　두　륵　래
바　사　바　집　없　　발　　사　　뜰
닥　이　람　두　어　　밤　발　륵　고
에　　때　　고　앞　돌　　아　　소　드
코　　오　　이　가　　　아　　랫　반　름
박　쫄　사　는　슴　선　목　다　　재
이　오　흘　아　눈　　콩　듬　없
하　　쫄　낮　랫　물　벌　나　　이
고　재　　사　뉘　씨　판　물　소　싸
　우　　　흘　　름　시　리　고
니　치　밤　흘　요　　월　루　　도
　는　　　꾸　마　열　　시　타　는
꼬　응　린　주　적　나　　이　　설
마　　석　임　하　손　흘　둘　맞　밑
　눈　꾸　는　저　새　러　자　그
까　러　　한　으　끼　　없　라　믐
비　기　미　뉘　며　낮　고　　는　치

그믐치 음력 그믐께에 눈이 내림. 또는 그 눈.

코박이하다 땅에 코를 박다.

눈까비 비가 섞여 내리는 눈.

사이때 아침과 점심 가운데쯤 되는 때.

재우치다 빨리하도록 조르다.

임 머리에 일 만큼 되는 짐.

아랫뉘 전생.

한뉘 살아 있는 동안 모두.

눈물씨름 하염없이 흐르는 눈물을 씻어 내는 일.

요마적 지나간 얼마 동안의 아주 가까운 때.

발밤발밤 한 걸음 한 걸음 천천히 걷는 모습.

새끼낮 낮 열두 시가 채 되지 아니한 낮.

소반다듬이 자그마한 상 위에 콩을 한 켜로 펴 놓고 벌레 먹은 콩이나 모래 따위를
    고르는 일.

도타이 서로를 사랑하는 따뜻한 마음이 많고 깊게.

오래뜰 큰 문 안에 거듭 세운 문을 지나 들어가면 있는 뜰.

입춘 진달래

가시아버지 흙무덤에 다녀오는 길
진달래 서너 가지 골라다가 밥상머리 꽂아 놓고
꽃이 필 날짜를 더듬어 본다

요즘에야 누가 근천맞게 이럴까만
늦겨울 일서둘러 책머리 정신머리 맑히던 꽃봉오리
큰애 작은애 다 나가고 나니
비죽삐죽한 뻗침새 새퉁스레 눈에 걸린다

다음 날 뒷산을 걷고 와서는
들축나무 잎가지 자가웃 챙겨다가 쑥 끼워 넣자
집구석 풍김새 푸릇푸릇 깨나는데

사흘 밤 통밤 지새운 꼭지눈
지분대는 입춘치 바깥날을 도무지 모르는지 아는지
꼬장꼬장 빗더서서 조리치는 낮때
자발없이 건넛방에 들어 붓그레 바장인다

가시아버지 아내의 아버지.

근천맞다 보잘것없고 초라하다.

새퉁스레 어처구니없이 새삼스러운 데가 있게.

풍김새 어떤 맞것 또는 그 둘레에서 풍겨 나오는 느낌.

꼭지눈 줄기나 가지 끝에 생기는 눈.

입춘치 입춘에 눈이 내림. 또는 그 눈.

조리치다 졸음이 올 때 잠깐 졸고 깨다.

자발없다 말이나 몸짓이 가볍고 참고 견디는 힘이 없다.

붓그레 부끄러이.

바장이다 짧은 거리를 부질없이 오락가락 거닐다.

잘못 살았다

불쌈꾼이 죽었다

가 봐야지 않느냐 묻는 사람은 있는데
함께 가자는 이가 없으니

빌어먹을!

달마사리 한살매
어화 넘차 붙좇는 꼴굿떼

팔짱 끼고 바래우다 짧은 해 저무는가

불쌈꾼 이미 있는 사회 틀을 받아들이지 아니하고 법이나 경제 구조, 조직 따위를
　빠르고 세차게 바꾸려고 힘쓰는 사람.

달마사리 땅끝까지 달려가며 일구는 사랑.

한살매 태어나서 살아 있는 동안.

붙좇다 받들어 모시거나 섬겨 따르다.

꼴긋떼 올바르지 못한 것을 몽땅 메어붙이는 사람들.

군자란

한보름께 요기 요렇게 오그리고 앉아 오고 가는 노란 차들
아이들 자취소리 모다 듣보다 먼산바라기 해바라기하다 깜빡
잠든 낮결 어물어물 열두어 해 지나 철모르쟁이 땅꿀 품안은
군자란 볕바른 앞자락 여민 가슴 망울망울 꽃망울이 부풀어

애비야 날이 따땃허니 널은 집이 가자 또 봄을 일깨우누나

한보름 큰 보름이라는 뜻으로, 정월 대보름날을 이르는 말.

자취소리 발자국 소리.

모다 모두.

해바라기하다 추울 때 볕바른 곳에 나와 햇볕을 쬐다.

낮결 한낮부터 해가 저물 동안을 둘로 나누었을 때 그 앞쪽.

땅꼴 땅꽈리.

녈 오늘 바로 다음 날.

백리포

가 봤남 스산 태얀 지나 뭐였더라 띠목골 마리장벌 뭇미처
의앙 가넌 바른짝 질루 딱 꺾으면 되넌디 방직골 늙으신네야
의앙이 뭐여 개목 두구 허나 마나 헌 소리덜 허더먼 워쩼든
얶질른 지름 제 땲었다며 떡허니 기늠관을 코이다 건 둥네여
시절피구 거까정 들어스들 말구 요짝이루 빠지래두 그러네
어덕배기 뒷질 털털털 네러스먼 바루 뵌대두 이끔 말허지먼
엊그적긔 츰 갔어 서울서 네러온 큰딸이 바람 쐬러 가자길래
요서 조맨혀 모새장벌이 가히색긔가 끗는 안이서 하나 읇지
호젓허니 엊구질헌디 대갈빡 꺼면 짐성만이 버림터를 맹글어
물비올 구텡이까정 절딴내능가 물븡 쉐주븅 봉다리 봉다리
박혁그세 아수 보넌지 눈사램만 헌 스치노풀뎅이 나둥그러진
백리포래야 십 리두 뭇 되니 오죽 좋으냐 허허허 웃었다니께
요새 집 나스야 갈 디 있간 밤나 들앉었자니 좀이 쑤실 텐디
즌화기 11구 홀적 징금다리 근너가듯 댕겨가 손 시런 갯반닥
작작 듸지구 헛팔매질 허다 허다 바다 한복판이 들어슨 등대
장딴지 제리더락 안쫑잡다 삼백에순날 노다지 그창인 물말레
꾸역꾸역 먹차올러 목맧히거들랑 슬그먼치 들러 군소리 말구
우리 집은 거서 백 리 안짝 나오다가 오여짝 잊번지진 않았남

백리포 충남 태안군 소원면 방주골 바닷가.

띠목골 충남 태안군 소원면 모항리.

마리장벌 충남 태안군 소원면 모항리 바닷가 모래벌판.

의앙 충남 태안군 소원면 의항리.

방직골 방주골.

개목 '의항'의 본디 이름.

시절피다 바보짓을 하다.

가히색기 '개'를 낮잡아 이르는 말.

안이서 예전에 종이나 머슴이 양반 아내를 높여 이르던 말.

엇구질허다 제법 훌륭하다고 여길 만하다.

물비울 사람이 살고 있는 별.

봉다리 무엇을 담을 수 있게 만든 주머니.

아수 보다 동생이 생기다.

밤나 아침부터 밤까지 내내.

작작 너무 지나치거나 모자라지 아니한 데가 있게. 남이 하는 짓을 말릴 때에 쓰는
　　말이다.

안쯩잡다 마음속에 품어 두다.

그창 달라지지 않고 늘 그 모습으로

물말레 바다와 하늘이 맞닿은 것처럼 멀리 보이는 두두룩한 곳.

오여짝 왼쪽.

통

모를 일이다
겨울 끝머리 돌림병에 까마귀 울음
듣그럽고 옹송망송하니
다짜고짜 불이문 넘고 싶은지

부처님 살찌고 파리하기는 석수에게 달렸고
부처 밑을 기울이면 삼거웃이 드러난다는데

모를 일이다
예도옛적 귀잡쉬 듣지 못하니
그저 웃으시는지
묻지 못하고 이러구러

열나절 흘러
너른 절터 봄머리 모아드는 갈겨니
쨍한 눈망울에 눈부처
어드록 충그릴지
내사 멧부엉이라 모를 일이다

듣그럽다 듣기 싫게 떠들썩하다.

옹송망송하다 생각이 잘 떠오르지 않고 흐리멍덩하다.

귀잡수다 '귀먹다'를 높여 이르는 말.

이러구러 이렇게 저렇게 되어 가는 대로 지나가는 모습.

절터 여기서는 충남 서산시 운산면에 있는 '보원사지'를 말함.

팽하다 더할 나위 없이 맑다.

눈부처 눈동자에 비치어 나타난 사람의 모습.

어드록 얼마나.

충그리다 움직이다 말고 꾸물거리거나 머뭇거리다.

멧부엉이 깊은 산속에 사는 부엉이처럼 어리석고 메부수수하게 생긴 시골 사람을
  놀리는 것과 같은 말씨로 이르는 말.

글 속에도 글 있고 말 속에도 말 있다

이희출 특정한 시대와 공간의 언어는 거기에 잇대어 살아가는 인간의 문화와 소중한 생태적 지혜가 녹아 있다는 사실을 인류언어학이 밝혀냈습니다. 이를 전제로 질문을 하나 드립니다. 시인이 서태안 지역 방언을 주된 시어로 작품 활동을 해 나가고 있는데, 시인의 작품을 대하는 독자에게 어떤 시적 파장이 일어나기를 바라는지요. 또한 이 지역에서 태어나지 않은 독자에게 시인이 추구하는 방언을 활용한 시 작품이 어떤 방식으로 해석되기를 바라는지요. 아니면 시적 이해를 확장하는 작품 이외의 방안이 있는지요.

시인 바라지 않아요. 시를 읽을 수 없는 곳에서 시를 쓰고 돌아서서 혼자 '작품이 어떤 방식으로 해석되기를' 바라거나 '시적 파장이 일어나기를' 자분참 꿈꾼다면 당길마음이겠죠.
'작품을 대하는 독자'님께는 시를 열어 놓고 삶터를 보되 나를 들여다보시라 말씀드리고 싶네요. 시집을 덮을 때 시를 툭툭 털어 내며 들고일어서는 모습을 두 손 맞잡고 바라보고 싶을 뿐, 산을 오르면서 숲을 생각하지 않듯 마음먹고 시를 읽다가 앉은 채로 잠이 들든 서너 쪽 넘기다 말고 집어던지든

내남직없이 뜻하는 바가 따로 있다면 섭섭할 며리가 없지요.

시집에 든 시 쉰아홉 마리 가운데 '방언을 활용한 시 작품'은 열 마리가 되지 않습니다. 비영비영 자리보전하는 사투리를 낮에 밤을 이어 고수련하고 받내도 자리헐미가 생기더군요. 시집에는 사투리보다 순우리말, 옛말, 조선어, 어찌씨 따위가 많습니다. 낱말이 눈에 설고 입에 붙지 않아 꾀까다롭겠지만 예부터 내려온 말이고 위아래로 끊긴 겨레말이며, 어버이나 동네 어르신이 노상 하던 입말이지 알아먹기 힘든 생각씨로 둘러대지 않았어요. 「철쭉 피구 감잎새 피면」, 「내남적없이」, 「백리포」 따위의 '방언을 활용한' 시를 대중말로 바꿔 놓거나 다른 나라 말을 섞어 쓰면 느낌이 살고 마음이 움직일까요?

저는 시인으로서 그저 시를 쓸 뿐 '시적 이해를 확장하는 작품 이외의 방안'을 찾지 않으니 이렇게나마 여러분의 눈과 힘을 빌어 엎드는 수밖에요.

이무호 시인이 『그 다 이를 말인가』 속에 담아 독자에게 건네주고자 하는 가치는 무엇인가요.

시인 환갑 지난 사람이 시를 써서 누리에 내어놓을 때 남몰래 가슴이 뛴다 한들 읽는 분에게 그야말로 무슨 울림이 있을까 머쓱히 돌아보게 하는 물음입니다. 사람마다 보고 겪은 일이 다르고 나이가 들수록 매개가 달라져서 같은 노래를 들어도 느끼는 만큼이 다르니, 눈물을 짓거나 보배로이 여기는 바가 하늘과 땅이라 이들을 아우를 '가치'는 우복동에나 있을는지.

『그 다 이를 말인가』 하여 눈을 끌더니 웃아귀에 개구리울음
와글와글하고 책뚜껑을 덮자마자 소쩍새 소리 괴괴하다면
기둥 높이 목 잘린 채 영근 올게심니 하나 약에 쓰려도 없다면
말라비틀어진 시래기 가슴속 발그림자 돌려세운 다님처럼
비우고 채우며 위없이 깊어진들 누가 뭐라 할까 싶은데요.

이정란 시를 왼쪽에 놓고 오른쪽에는 낱말 풀이를 했더라고요. 낱말
풀이는 일반적으로 글 아래쪽에 각주를 달거나 모아서 뒤쪽에 따로
설명을 하던데요. 그리고 몇 군데 어려운 낱말 같은데 풀이하지 않은
곳이 있어요. 어떤 기준으로 낱말풀이를 했나요?

시인 누구든 언제든 마실 올 때 냇물 깊이 붙박혔다가 요대로
징검돌이 된다면 참 좋겠구나 싶어 엄벙뗑 책치레를 했고요,
웃하늘이 어여쁠 때 놀구름을 보며 쉬엄쉬엄 머리쉼하시라고
에멜무지로 의자를 갈아들였습니다. 시 쉰아홉 마리 우드드
차려 낯내기를 하자니 야무암치가 있어야 말이지요. 오늘껏
껴묻거리는새로에 우셋거리나 되지 않도록 든직할 수 없을까
마음이 쓰이네요. 낱말 풀이를 빼면 여러모로 걸리는 구석이
적지 않고 뒤쪽에 모아서 놓자니 넘나들기가 번거로울 테고,
처음엔 모를 성싶은 말을 낱낱이 풀이했는데 다 해놓고 보니
시를 까발려 어림발을 망가뜨리지 않았나 하는 생각이 들고,
읽는 이를 낮잡아 보며 주제넘게 껴드는 꼴이라 짓쩍었어요.
생각다 못해 보는 이마다 다르게 읽힐 말은 아닌 보살 하고,
으뜸꼴로 풀이하여 말맛을 다르게 하자, 낱말 몇 개쯤 따로

아꼈다가 다음날 오는 사람을 새라새로운 얼굴로 장맞이하자 이딴 제사날로 낱말 풀이를 했습니다.

문태준 귀에 익은 사투리는 정겹고 구수하며 적절히 구사하면 생동감과 호소력이 더해집니다. 사투리가 많이 등장하는 시인의 작품은 그런 점에서 효과를 보고 있지만 일부 과도하게 사투리가 쓰인다는 느낌이 듭니다. 예컨대 '누웨', '그끄적긔', '때약볏' 등. 물론 실제 일상에서 쓰이는 혹은 들었던 소리에 최대한 가깝게 표기하려다 보니 그럴 수 있다고 여겨지지만 구태여 그렇게 표현해야만 하는 당위가 무엇일까요.

시인 가끔가다 무릎을 탁 치게 만드는 말을 듣는데 이 말이 책에 없을 때 어떡하면 좋죠? 말을 옮겨 놓으려고 쓰는 글자는 말을 고대로 적어야 마땅한데 어문 규범에 어긋나잖아요. 말맛을 살려서 글을 쓰고 싶은 저로서는 어르신들 이야기를 귀담아듣거나 들은 말을 떠올기지만 한동네에서 쓰는 말조차 조금씩 다르고, 물 건너온 말과 섞이면서 뒤죽박죽되었으니 나름대로 잣대가 없으면 덮어놓고 열닷 냥 금이 되겠더군요. '응감'이나 '옹'처럼 이중모음을 쓰지 않고는 아무리 하여도 적어 둘 길이 없는 입말을 글말이 부끄러워하지는 못할망정 내남없이 뒷짐 지고 왼고개를 치면 쓰나요. 같은 입말이라도 극본이라면 극작가가 배우를 쫓아다니며 읽어 줄 수 있고, 관객들은 보고 들으니 그럴싸하겠지만 시라서 안타깝네요.

이미정 사계절이 다 담겨진 시집인데 가장 애착이 가는 시는 무엇이고,

가장 좋아하는 절기는 언제인가요?

시인 지금 떠오르는 시는 아니겠고, 막상 '가장 애착이 가는 시'를 고르려고 하니 가장 잘 쓴 시를 고르기보다 어렵군요. 해묵히며 비뚜름히 써 내려간 시가 있는데 「그믐치」입니다. 낱말을 어긋매끼며 쓰느라 애먹었지만 그보다는 하고 싶은 말을 가슴에 묻고서 여러 해 글거리를 찾느라 무지근했던지 걸핏하면 이맛전에서 일쩡거리네요.

  절기를 이야깃거리로 삼으며 어김없이 농사일을 채비하던 아버지 모습이 새삼 떠오릅니다. 해가 갈수록 나이는 무겁고 세상은 핑핑 도는데 절기는 장승처럼 붙박이니 미더웠겠죠. 제가 '가장 좋아하는 절기는' 춘분입니다. 밤과 낮이 같고, 무엇보다 뒷동산 묏자리가 따뜻해 보일 때니까 고기 앉아 자울자울 졸면서 곧 피어오를 진달래 꽃망울을 이제나저제나 기다릴 수 있으니까요.

이무호 『그 다 이를 말인가』에서 하고 싶은 말을 한 문장으로 표현한다면?

시인 시집 이름 짓기와 어금지금하군요. 이름은 그야말로 시를 담는 그릇인데, 그 속에 든 시는 낱섬과 같아서 갯바닥 깊이 뿌리를 내리고 이어져 있으나 외따로이 다른 모습이니 쉰아홉 무리섬을 한 그릇에 담아 이름 짓기가 벅차더군요. 고을고을 둘러봐도 산 좋고 물 좋고 정자 좋은 데가 없다면

뚝배기와 장맛이 엇비슷한 우리 집이 낫지 않나 고시랑대다 '한 문장으로' 『그 다 이를 말인가』 내걸어 놓고는 아무렴, 시인이 '하고 싶은 말'을 곧이곧대로 할 까닭이 없지 책갈피에 끼워 둔 꿍꿍이가 있겠지 넘겨짚으려니 바라는데 어쩌지요?

허수정 시인은 어린 시절 어떤 꼬마였나요?

시인 쇠귀 선생이 옥살이를 하며 '사실과 진실'을 견줘 쓴 글을 봤는데, 저는 진실보다 사실에 가까운 말을 하겠습니다.
　　태안면에서 백화산 뒤로 산발치를 한 시간 안쪽 굽이돌면 안폿한 윗마을 지막골이 나오는데요, 꼬꼬지 적부터 가재가 들어앉은 징검돌을 건너 논틀밭틀 솔밭 사이로 앵두, 봉숭아, 길국화, 눈꽃이 철철이 곱단한 집. 보이시나요? 엄마가 장에서 군것질거리를 사 왔는데, 홀랑 먹지 않고 학교에 가 돌아오지 않은 작은누나를 기다리는 아이. 1969년 앞으로나란히 바로! 국민학교에 들어가는 날, 기름한 진솔옷을 입고 운동화 신고 왼쪽 가슴에는 손수건을 반듯이 달고, 운동장 가운데쯤 서서 마른 하품을 하다 하다 얼른 아버지를 따라가 까만 글자만치 낯선 짜장을 먹은 생각은 또렷한데, 그날 사 준 노란 저금통은 어디 갔는지 없네요. 어찌 됐든 쇠똥구리가 면을 내는 윗길 손옹당이로 냇물을 떠 마시며 학교에 다녔고, 큰물 지면 엄마가 냇둑에서 슬멋거렸지요. 산수는 알다가도 몰라 15 빼기 7을 12라고 똑똑히 적었는데 선생님이 색연필로 짝, 틀렸다네요. 5에서 7은 뺄 수 없으니 5보다 큰 7에서 5를 뺐는데 말이죠. 3학년 때는 향교에서 배웠는데 선생님이 일찍 나가셨다가 늦게 들어오니 살판났지요. 제 말팽이가 한번 자리 잡으면 선생님이 보여야 그쳤고, 그래 그랬는지 서기로 뽑혔어요. 회의 시간마다 아이들의 말귀를 알아듣고 간추려서 적는데 왜 그렇게 칠판은 넓고 글자는 오른쪽으로 올라가던지. 한 번 서기는 죽도록 서기라 고등학교 때까지 쭉 했습니다. 반공일만 되면 동무들이 놀러 왔어요. 오다가다 찜해 둔 비둘기 알을 꺼내고 대롱대롱 매달린 꾀꼬리 집을 쑤시고, 여름방학엔 먹딸기를 따 먹고 개암을 깨쳐 먹고, 밤나무를 뒤져 사슴벌레를 잡고 감나무 미루나무에 올라가서 말매미를 잡고, 다랑이에서 뜸부기 새끼를 쫓고, 워낙 뜨거운 한낮에나 그늘나무 밑에서 땅따먹기를 하고 고누를 뒀네요. 가으내 비석치기, 말뚝박기에 범구멍들기, 무궁화꽃이 피! 겨울에는 방패연을 까맣게 띄우고 편지를 띄우고, 얼음판에 고무 다리를 만들고 철철 땀 흘리며 썰매를 타고. 참새를 잡겠다고 뜰 안에다 왕겨를 뿌려 놓고 삼태미로 덫을 놓고 한나절 방에 앉아 문구멍으로 내다보고, 자치기, 딱지치기, 숨바꼭질은 누운 소 타기라 말하나 마나고. 뭐니 뭐니 해도 진달래 환한 봄날 냇가로 우르르 몰려가서 으자자 넓적돌을 떠들고 알 슬은 가재를 잡아 냐 하고 동무에게 건네줄 때 그중 으쓱했지요. 가끔가다 혼자 있으면 바둑이랑 마당 가득 뛰놀고, 똑같이 입 벌리는 제비 새끼를 올려다보다 새총을 꺼내 솔방울을 맞히고, 곰술 밑둥치 개미장을 후후 불며 콧잔등이 땀나도록 헤살질하다 부엌에서 밥 먹어 부르면

쪼르르 들어가서 저녁을 먹자마자 고고르르. 엄마가 새벽에 깨워 앉히면 숙제를 하고 일기를 한 쪽 썼네요. 라디오에서 김용운 고춘자 만담을 즐겨 듣고 손오공 얘기를 귀담아듣고, 다음 날 학교 가는 길에 우랑바리 마뿌롱 노파리가 났었죠. 5학년 때는 나머지공부를 했는데 집에 오는 길이 하 심심해서 동무 따라 슬슬 꽁무니를 뺐어요. 그때마다 붓글씨 선생님이 건빵을 두 주먹 주면서 주저앉혔는데, 가을에 서산에서 하는 무슨 대회에 나가 상을 탔어요.

돌아보면 겹귀염을 받으며 부러울 게 없이 낫자란 시절이 살면서 섭슬리지 않고 견디는 든든한 버팀돌이 되고 있지요.

한민자　어머니나 아버지가 남겨 주신 건 무엇인지요?

시인　아직껏 잊히지 않는 일이 있어요. 수자리 담금질이 끝나자 차렷 자세로 앉혀 놓고 부모님 직업이 뭐뭐인 사람 손 들어, 뭐뭐뭐인 사람, 이리 나와! 하나둘 빼가던 연병장. 그러고 나서 산 설고 물 설운 강원도 원통 땅에 실려 가니 공 좀 차 봤냐 묻던데, 저야 뭐.

여러 해 뒤 어버이를 요기 묻으며 외딴 맘이 들더라고요. 가슴골에 수두룩이 쟁여 놓고 가셨는데 무슨 일을 해야 하나. 젊은 날 농활을 갔답시고 다른 집 생강을 따러 가는 아들을 생강밭에서 그윽이 바라본 어버이의 바람은 무엇이었을까. '님만 님이 아니라 기룬 것은 다 님'이라는 가르침은 아닐까. 이제껏 받았으면서 보잘것없다 쓰잘머리 없다 제잡이하다가 어느 나달에 머리를 돌려세우고 열린 하늘문 올려다볼는지. 옛집에서 괘종시계랑 물두멍 하나를 가만가만히 모셔다 놓고 다섯 시에 멈춰 선 시계 앞에서 어치렁거리다가 속이 빈 두멍을 쓰다듬으며 이따금 데생각합니다.

백은경 문학의 갈래 중에서 시를 선택한 이유가 있나요? 혹시 그 선택을 후회한 적은 없나요. 시인이 아니었다면, 그런 생각을 할 때가 있었는지 있다면 언제였나요?

시인 제가 시를 잘 쓰면 좋겠다고 어쭙잖게 생각한 때는 중학교 2학년, 위아래로 클 만큼 컷다고 여기던 봄이었습니다. 책상 앞에서 『모범편지투』를 넘기다 말고 김소월 한용운을 찾아 읽었죠. 멋들어진 시가 많았지만 꼭 한두 줄 어긋나서 못마땅했어요. 그러구러 몇 해 뒤 누가 쓴 시를 한자는 더러 건너뛰며 누군가 베껴 쓰고 복사한 시를 슬쩍 건네받았다며 기문이가 읽어봐 하는데, '시를 쓰되 좀스럽게 쓰지 말고 똑 이렇게 쓰랏다. 내 어쩌다' 열 번쯤 읽었지요. 저뿐일까요? 학교에서 배운 박목월 하고는 그야말로 달자라였다니까요. 「비녀산」, 「황톳길」 오르내리던 1981년 첫여름부터 여태껏 사그랑주머니에서 손을 빼지 못하니 참으로 딱한 노릇이죠. 수자리에서 놓여난 뒤 사람이 모인 서울 한복판을 걸어가다 바람맞이 춤사위를 봤는데 에미령하여 끝까지 다 못 봤어요. 서른 몇 해 지나 말하건대 웃음에 못 미치는 눈물이 없고 몸을 덮고 남을 글이 없더군요. 요새는 이름 석 자 베고

걸잠을 자다 말다 하는, 똑 어버이를 닮은 어르신들 귓전에
<퇴주잔타령>을 올릴 느린목이 없다 보니 속울음뿐입니다.

유금희 어떤 순간에 시의 씨앗이 찾아오고, 어떤 방식으로 그것을
길러내시는지, 농사짓듯 심고 가꾸기를 하시는지, 출근 도장 찍어 가며
일하는 분들처럼 매일매일 성실하게 노동하시는지 궁금합니다.

시인 시를 쓰기에 앞서 무슨 말을 할까 곰곰 생각한 다음
할 말을 보듬고 있다가 글거리를 만나면 곧바로 들러붙지요.
모든 시를 이렇게 썼다고 하면 입찬소리가 되겠지만, 적어도
「내절로 네절로」, 「찔레꽃가뭄」, 「십 원짜리」, 「벙어리매미」,
「꼬꼬닭」, 「칠석」, 「죽을 쑨다」, 「그믐반달이 저녁샛별에게」,
「탁배기 한 사발」, 「그믐치」, 「백리포」를 이와 같이 썼습니다.
　글거리를 알아채려고 채비하고 기다리다가 시가 되겠구나
싶으면 벗어놓자바람으로 맞아서 곰살궂게 줄글로 적은 뒤,
줄여 쓰고 내려 쓰고 묶어 쓰고, 알맞추 꼴을 갖추면 이웃에게
선보여요. 그들이 던지는 말을 귀여겨들었다가 녹여 넣고
새벽드리 일어나 운동장을 돌며 중얼중얼 가락을 맞추는데
여기까지 두 장도막쯤 걸리고요. 이제 마지막으로 하는 일은
낱말 갈아들이기인데, 시를 책꽂이에 딱 붙여 놓고 몇 달이고
들여다봅니다. 낱말이 손에 잡히지 않을 땐 따뜻한 물로
몸을 씻으며 물소리를 들으면 말갛게 떠오를 때가 있죠.
어떤 때는 엄마가 얘기하니 벌떡 일어나 인쇄소 문턱까지
내닫지만 내나 시를 끝맺는 사람은 여러분이라고 믿습니다.

그럴듯하죠? 이따위 들음직한 말잔치보다 한시반시가 바쁜 아침 일곱 시 오십 분, 밥상 앞에 끔벅끔벅 앉아 있다가 슬그머니 컴퓨터 앞으로 가는 덩덕새대가리를 떠올리는 편이 모르면 몰라도 한결 낫겠습니다.

이정란 세로로 붙여 쓴 시가 두 편 있는데 낯선 형식이고 읽기 어려웠어요. 어떤 생각으로 시를 이렇게 썼는지 묻고 싶네요.

시인 오늘날엔 하고 싶은 말을 남길 때 갖가지 방법이 많지만 글자가 없던 예도옛날엔 그림을 그렸다지요. 그동안 살면서 눈에 담은 모습을 밥술 뜨듯 옴시레기 떠옮기고 싶었습니다.
　「화사상선조」는 산발치 오뚝 돋아나 맨몸뚱이로 번지다가 산허리께 짙붉게 꼬꾸라져 새파라니 남은 꽃무릇의 한살이를 솟대를 되세우듯 높이 떠받든 시이고, 「그믐치」는 섣달그믐 붐비는 눈송이를 넋없이 올려다보다 콧등으로 받은 시인데, 환갑내기 아들이 지나새나 자라 알 바라듯 눈에 어려 다시금 아득한 데서 찾아오는 어머니 본마음을 엉거주춤 맞이했으니 설밑에 눈이 오시거든 문얼굴에 기대어 한번 읽어 보세요.

신현두 「봄밤」이라는 작품을 읽으면서 내 마음을 들킨 것 같아 깜짝 놀랐습니다. 특히 '느침'이란 단어는 생소하나 적절하다는 생각이 들어 놀랐는데요. 그밖에 '고상고상', '애먼글면', '뿌리막가지' 등 이런 시어를 어떻게 찾았는지, 찾는 데 시간이 얼마나 들었는지 궁금합니다.

시인 거슬러 올라가 이야기를 하자면, 첫 시집을 만들 때 가장 힘든 일이 낱말 찾기였습니다. 뭔가 안팎으로 꼭 맞고 팽한 낱말이 있을 것 같은데 생각날 듯 날 듯 떠오르지 않아 애먹는 꼴이 마치 똥 마려운데 어쩌지 못하는 강아지 같았죠. 그 뒤부터 비롯된 일입니다. 제가 첫 시집을 냈다고 동무들이 『겨레말 갈래 큰사전』을 사 주길래 팔을 걷어붙였죠. 처음엔 한 권이면 너끈하고 두어 해면 덮을 줄 알았어요. 해가 가고 마음이 갈수록 아쉬움이 가라앉지 않아 북쪽에서 나온 사전, 연변이나 흑룡강에서 나온 사전, 부사, 형용사, 사투리 사전. 마흔 권 넘게 훑어가며 쓰고 싶은 우리말을 밤 대어 모았는데, 사전마다 생김생김이 달라 드문드문 빈구석이 보이더군요. 그 자리를 최현배, 이오덕, 백기완, 이문구, 김성동 선생님이 메워 주셨지요. 이러구러 아홉 해 흘러 2단 30줄짜리 800장 『말 속에 말』을 쟁여 놓고 앉아 팥죽 단지에 생쥐 달랑거리듯 밤낮 들랑거리며 언제나없이 똑딴 말을 골라 쓰고 있습니다.

한민자 제일 좋아하는 낱말은 무언지요? 『말 속에 말』을 공부하면서 이거다, 라고 생각한 말은 어떤 건지요?

시인 6학년 겨울방학 때 서당에 앉아 고드름이 세 동강이 나도록 하늘 천부터 이끼 야까지 어깨를 흔들흔들 멋모르고 외웠죠. 그러고 나서 지난해 겨울 『김성동 천자문』을 봤는데, 한글만 봤어요. 양반이 아랫것들 다룰 때 쓰던 넉자바기처럼 모서리진 말이나 딱딱한 생각씨보다 머릿속에 환히 떠오르는 그림씨나, 글월을 엇구수하게 만드는 어찌씨가 눈에 띄지만 '제일 좋아하는 낱말'은 '안녕'이죠. 한자어치고 동그라니 따뜻할 뿐만 아니라 안녕, 안녕 거듭 말할수록 입안에서 말갛게 감돌고 눈물이 핑 돌게 만드는 울림이 있단 말이지요.

『말 속에 말』은 늙판에 함께할 말벗이요 길동무입니다만 아, 국어사전을 찾아다닌 이야기부터 해야겠습니다. 제가 찾는 사전을 다 머리맡에 쌓아 두고 싶었지만 돈은 없고 헌책방을 뒤져도 뵈지 않으니 도서관으로 쫓아가는 수밖에 없었는데, 서산시립도서관에서는 사전을 빌려주지 않아요. 다른 사람들도 봐야 한다면서. 어쩌다 며칠 동안 문을 닫을 때가 있었는데요. 이래저래 그런다며 문 닫는 동안 빌려 달라고 했더니 이번엔 파손 위험이 있다고 안 된대요. 힘없는 사람을 알아보고, 땅바닥에 떨어뜨릴까 미리감치 걱정하니 헐수할수없잖아요? 한 달에 서너 번씩 찾아뵙고 기역부터 히읗까지 한 장 한 장씩 넘기며 한 쪽 한 쪽 사진 찍고 컴퓨터로 다시 봤지요. 대산도서관 서고에는 『우리 토박이말 사전』이 있는데 진달래가 발간 봄부터 예닐곱 번 만났습니다. 마지막 면회를 마치고 돌아서니 차마당에 시붉은 벚나무 잎사귀가 툭 떨어져 눈물을 가리더라고요.

사전을 쫓아다니며 보니 낱말보다 멋진 익은말과 속담이 수두룩했어요. 눈을 딱 감고 하나 짚자면 '글 속에도 글 있고 말 속에도 말 있다.' 이 속담을 웅진도서관에서 만났을 때 몸이 붕 뜨고 무릎이 푹 꺾이는 느낌이었습니다.

문태준 시인의 시를 읽다 보면 잘 몰랐던 많은 시어들을 주석을 통해 새롭게 배우면서 읽는 재미가 쏠쏠하기도 한데, 다른 한편으로 상당한 수고와 인내가 필요하기도 합니다. 시마다 깨알 같은 주석은 시인의 독특한 작품의 특성이기도 할 테이지만 그만큼 어렵고, 평범하고 일반적인 독자가 따라가기에는 눈높이가 다르다는 것을 보여줍니다. 예를 들면 '으말무지루', '글알', '나좃밥' 같은 낱말은 아예 국어사전에 나오지도 않으니, 독자와의 거리를 좁히기 위해 독자가 쉽게 공감하고 이해할 수 있는 시어들을 폭넓게 선택하는 양보와 아량을 좀 더 많은 작품에서 보여주면 어떨까 싶습니다.

시인 이렇게 생각하면 어떨까요. 미술작품을 관람하는 분은 그저 감상할 뿐 작품이 어렵다거나 모르겠다 말하지 않던데 왜 그럴까요. 화가의 속뜻을 온이로 알아차렸기 때문일까요? 아다시피 글로 빚은 이야기가 문학이고, 문학 가운데 낱말을 간골라 비다듬은 말마디가 시인데, 시는 사용설명서처럼 쓰거나 쓴 대로 누구나 다 알아야 하는 글이 아니죠. 낱말은 알겠는데 이상의 「오감도」처럼 무슨 얘기를 하는지 도무지 모르겠다면 '양보와 아량'의 문제겠지만, '독자와의 거리를 좁히기 위해' 낱말 풀이를 하고 마주이야기를 덧보탠 뒤에도 마찬가지로 '공감하고 이해'하기 어렵다면, 여느 시집보다 '시어들을 폭넓게 선택하는' 시인이 먼저 되생각할 말거리가 아닌 듯싶습니다.

이미정 항상 섬세하게 세상을 관찰하면서 생활하셨는데 영향을 받은 시인과 시집이 있는지, 앞으로 남은 인생에서 하고 싶은 일이나 쓰고 싶은 시는 무엇일까요?

시인 ㄱㄴㄷ순으로 하면 김소월『진달래꽃』, 김지하『황토』, 박노해『노동의 새벽』, 백석『사슴』, 신경림『농무』, 신동엽 『금강』을 어쩌다가 읽었지요. 외우려고 아침저녁으로 읊는 시는 '돛대 높은 곳엔 사람이 하늘이요 일하는 자가 주인인 조상의 넋을 나부껴야 한다'는 비나리 「백두산 천지」입니다.
　시간이 더 내빼기 전에『겨레말큰사전』을 무릎에 앉히고, 귀가 무릎을 넘기 전에 알게 모르게 떠난 사람들이나 덤더디 곁을 지키는 사람한테, 뒷사람한테 진 묵은빚을 덜고 싶네요. 어버이 제삿날을 잊고 사는 집구석에 미련이 남을 리 없지만 빗바람에 부대껴 속이 뒤집힌 바닷물이 밤도와 뭍에 오르듯 모순이 있는 곳에 운동이 있다고 들었으니 앞으로 어떤 시를 쓴다며 이리저리 나부댈지 두고 볼 일이지요.

이동교 사람은 누구나 가치에 따라 산다고 생각합니다. 시인은 농촌에 태어나 농촌에 가치를 두고 살았고, 이것을 시를 통해 사람들에게 어떤 선한 영향을 주고 싶어 한다고 믿습니다. 그런데 가치를 추구하려면 희생이 필요하잖아요. 내가 선택한 길이니 내 희생은 어쩔 수 없다지만 곁사람이 희생해야 한다면 어디까지 그 희생을 요구할 수 있을까요? 내가 생각하는 가치에 공감하는 만큼인가요, 나를 사랑하는 만큼인가요. 저는 지금까지 이 문제를 고민하고 있습니다.

시인 '희생'은 제사 지낼 때 신에게 바치던 산 짐승을 말하는데, 목사 앞에서 제사 이야기를 하자니 거북살스러운 데가 있고 진화생물학은 시퉁스레 들릴까 걱정이 앞서니 제가 꼼짝없이 구덩이에 빠졌군요. 낭패를 보게 되었다는 말이죠. 하지만 낭패는 생각할 거리가 많다고 봐요. '낭狼'은 앞다리가 길고 뒷다리가 짧은 이리이고, '패狽'는 뒷다리가 길고 앞다리가 짧은 이리랍니다. '낭'은 비가 오나 눈이 오나 '패'에 업혀서 다니는데 이 둘이 떨어지면 넘어지게 되고, 둘 가운데 하나가 없으면 뜻한 바를 이룰 수 없다는 데서 생겨난 말이라고 해요. 이처럼 서로 다르나 같은 목숨을 받들며 살아왔고 잇대어 살아갈 테니 거추장스러운 공작새 꽁지깃을 두고두고 아름답다 말하겠지요. '공감하는 만큼', '사랑하는 만큼' 이런 머릿속 찌꺼기가 안팎을 이어지지 못하게 막고, 죽음 다음에 끊이지 않는 삶을 살지 못하도록 '희생' 따위를 '요구'하고 있지 않나 생각합니다.

한남희 오늘 아침에 작가님의 시를 다시 읽으면서 강한 생명력을 느껴 자리에서 벌떡 일어났습니다. 여러 문제로 지쳐 있는 저에게 너무 감사한 일입니다.

작가님과 처음 만남은 1992년 여름 제가 명동성당에서 단식농성을 할 때입니다. 잘 알지 못하는 분인데 농성장을 방문하여 연대의 표현으로 엽서를 주고 가셨지요. 그 뒤로 만날 때마다 괜찮은 교사로 살아가기 위해 노력해야겠다는 의지를 북돋아 주신 분이기도 합니다.

최근에 작가님이 요양보호사로 일하신다는 말씀을 듣고 평생 치열하게 사시는 모습에 존경스럽다는 생각과 함께 연금 액수나 들여다보는 저 자신이 무기력하다는 생각이 들었습니다. 작가님의 변하지 않는 열정과 치열함의 원동력은 무엇인가요?

시인 믿음, 바람, 곧바름 이런 게 '원동력'이면 좋지만 인공 때나 민공 때나 복숭아씨나 살구씨나 돈저울 눈금이야 왼쪽 오른쪽 자발머리없기가 「봄밤」에 버금간다면 서러워하니 어쩝니까? '힘에 겨워 굴리다 다 못 굴린 덩이를 나의 나인 그대들에게 맡긴 채 잠시 쉬러 간다'는데, 달빛 아래 빗돌이 오뚝오뚝한데 이제 말이 되나요? '우리 자식이 못돼서 죽었소 이놈의 세상은 똑똑하면 못된 거지요. 철아, 잘 가그래이…' 너른 마당엔 앞서서 가나니 산 자여 따르라 불쌈꾼이 있었고, 여기가 어디요? 내가 왜 여기 와 있댜? 아저씨는 누구여? 여기가 어디요? 되녀는 어르신 곁에는 아들딸이 없을 뿐이죠. 저는 워낙 노래를 못해서 수자리에 나가 처음 노래할 때조차 '나 태어난 이 강산에 군인이 되어' 하자마자 그만해라 하니까 바이없이 읽는 노래를 좋아합니다. 몇 마디 띄엄띄엄 읊조릴 테니 못내 서운하면 찾아가 보든가 찾아오세요. '우린 그렇게 죽었어… 아니 여기가 우리처럼 가난한 사람에게도 축복을 내리는 그런 나라였다면… 아니 여기가 엄마아빠도 주인인 그런 세상이었다면… 엄마아빠 너무 슬퍼하지 마 이건 엄마 아빠 잘못이 아니야… 엄마아빠 우리가 이 세상에서 배운 가장 예쁜 말로 마지막 인사를 해야겠어 엄마아빠 엄마 아빠 이제 안녕 안녕.'

신현두 고등학생 때부터 함께 지내면서 제가 아는 시인은 손에 깃발을 들고 현장에서 노동자들의 권리와 사회정의를 외치며 발가락이 부르트게 치열한 삶을 살 줄 알았는데, 의자에 앉아 궁뎅이에 딱지 생기도록 처절하다시피 시에 몰두하는 이유가 무엇입니까?

시인 예제없다고 봐야죠. 용정에서 독립운동하던 남정네나 용마름이 움푹 꺼진 이엉집에서 새끼들을 건사하며 비손하던 아낙이 한마음이듯, 한여름 긴 팔을 입고 땡볕에서 막일을 하는 사람이나 긴 소매를 걸치고 사무실에서 나랏일을 하는 분네가 곁붙이라며 곁발림하는데, 오르내리는 발걸음 뚝 그친 해거름녘 등판길에서 바들바들 발버둥질하다 돌아가면 다음날 누구든 가뿐가뿐히 지낼 수 있을까요? 어느 할아버지 말마따나 너도 일하고 나도 일하여 너도 잘살고 나도 잘살되 올바로 잘사는 벗나래 한 귀퉁이를 맞들 수 있으면 좋으련만.
　'궁뎅이에 딱지'는『말 속에 말』을 만들 때 애기고, 입때껏 '처절하다시피 시에 몰두'하지 않았어요. 꽃등부터 그랬다면 넷만 알 리 없잖아요. 어쩌면 그렇게 꼿꼿하게 앉아 있느냐 묻는 사람은 더러 있는데, 저를 책상 앞에 앉혀 놓는 사람은 따로 있어요. 이를테면 예금통장에 29만 1천 원밖에 없어서 많은 빚을 갚지 못하는 사람도 떳떳하게 살다 죽는 나라에서, 벚꽃이 마구 떨어지고 언뜻 아까시 내음이 묻어나는 봄이면 속가슴이 쓰리고 무거운데「지붕에 오른 소」처럼 직수굿이 지내면 그만인가요. 제가 붙좇지 못할 만큼 훌륭한 선생이 이런 말씀을 하셨지요. '말을 살리는 일이 겨레를 살리는 일입니다. 배달말을 살리지 않고 배달겨레가 살아날 수 없습니다. 말을 살리지 않고는 어떤 교육도 학문도 문학도 예술도 종교도 사상도 우리 것이 될 수 없고, 제자리에 설 수 없다고 봅니다. 우리 얼을 찾아 가지는 말 살리는 일이 곧 민주주의와 통일을 앞당기는 가장 확실한 길이라고 믿습니다.'

이명재 들판에 풀이 모여 초원을 이룬다. 사람들은 들풀을 보지 않는다. 대궁 솟은 꽃잎만 본다. 우리의 눈이란 늘상 뿌리를 잊고 꽃잎에 취해 낯을 붉힌다. 시인은 들의 뿌리를 바라보는 소리꾼이다. 뿌리를 다듬고 정돈하는 말 농사꾼이다. 아무도 돌아보지 않는 땅속 향기에 코를 묻는 호미 날이다. 그러나 지금 누리엔 땅의 젖줄로 이어진 뿌리는 보이지 않는다. 농사꾼의 호미 날은 녹이 슬었다.

　남들이 다 거들떠보는 꽃잎을 외면하는 일은 어리석다. 돌아보지 않는 곳에서 풀뿌리를 가꾸는 일은 외롭다. 그렇게 어리석고 외로워서 시인의 노래는 꽃잎처럼 연약하지 않다. 들풀처럼 억세게, 늘 거기 푸르게, 그 어리석고 외로운 노래를 언제까지 부를 수 있겠느냐? 거기에 대한 시인의 눈빛을 듣고 싶다.

시인 하하하하. 동갑내기 시인이 『예산말 사전』에 걸터앉아 이런 말씀을 하면 쓰나요. 오래간만에 큰 소리로 웃다 보니 눈물이 다 나오네요. '어리석고 외로운 노래를 언제까지 부를 수 있겠느냐'느니 '시인의 눈빛을 듣고 싶다'느니, 뭇사람이 보는 앞에서 추어올리고 으르딱딱여서야 어디 되겠습니까.

'뿌리를 잊고 꽃잎에 취해 낮을 붉'히는 '우리의 눈'이 영 못마땅하다면 고개 숙이고 발끝을 붙따르면 될 일이고, '대궁 솟은 꽃잎만' 보며 '들풀을 보지 않는' '사람들' 뒤에서 코 막고 답답하다고 툴툴대다가 누구처럼 「십 원짜리」 시나 쓰지 말고, 내친김에 달려가 '들판'을 넝큼 보여주면 개운하지 않겠습니까. 시인의 바람대로 '풀뿌리'를 녹슨 호미 날로 뒤지노라면 '억세게' 일하는 사람들 곁에서 '외로운 노래'를 부를 짬이 없을 테고요.

　시인을 별쭝맞게 '들의 뿌리를 바라보는 소리꾼'이라거나 '아무도 돌아보지 않는 땅속 향기에 코를 묻는 호미 날'이라고 여기지 않습니다. 누구든 서 있는 자리에서 바라보며 저마다 하루를 담아내는 그릇이 다를 뿐, 저보다 못난 사람이 없고 저보다 잘난 사람이 없다고 보니까요. 더군다나 내가 흘린 땀은 내 것이 아니고 네 것도 아니며 땅의 것이라던 말씀이 불쑥 뒤냉기치는데, 시를 쓰면서 '돌아보지 않는 곳에서 풀뿌리를 가꾸는 일은 외롭다'거나 '꽃잎을 외면하는 일은 어리석다'고 생각지 않았으니 제게는 들을 만한 '시인의 눈빛'이 없습니다.

그 다 이를 말인가

초판 1쇄 발행 2023년 06월 20일
    3쇄 발행 2023년 10월 30일

지은이 김병섭
펴낸이 조기조

펴낸곳 도서출판 b
등 록 2003년 2월 24일 (제2006-000054호)
주 소 08772 서울시 관악구 난곡로 288 남진빌딩 302호
전 화 02-6293-7070(대) 팩시밀리 02-6293-8080
누리집 b-book.co.kr 전자우편 bbooks@naver.com

ISBN 979-11-92986-05-0   03810
값_12,000원